Nika Quinlao

LE MANAGEMENT D'ÉVÉNEMENT

Les Éditions Transcontinental inc.
1100, boul. René-Lévesque Ouest
24e étage
Montréal (Québec) H3B 4X9
Tél. : (514) 392-9000
1 800 361-5479
www.livres.transcontinental.ca

Les Éditions de la Fondation de l'entrepreneurship
55, rue Marie-de-l'Incarnation
Bureau 201
Québec (Québec) G1N 3E9
Tél. : (418) 646-1994, poste 222
1 800 661-2160, poste 222
www.entrepreneurship.qc.ca

Données de catalogage avant publication (Canada)
Renaud, Jacques, 1952-
Le management d'événement
(Collection Entreprendre)
Comprend des réf. bibliogr.
Publié en collaboration avec la Fondation de l'entrepreneurship

ISBN 978-2-89472-344-9 (Les Éditions Transcontinental)
ISBN 978-2-89521-107-5 (Les Éditions de la Fondation de l'entrepreneurship)

1. Événements spéciaux - Gestion. 2. Festivals - Gestion. 3. Spectacles et divertissements - Gestion. 4. Fêtes - Gestion. I. Titre. II. Collection : Entreprendre (Montréal, Québec)

GT3405.R46 1999   394.2'068   C99-941735-5

Révision et correction : Louise Dufour, Jacinthe Lesage
Mise en pages et conception graphique de la page couverture : Studio Andrée Robillard
Impression : Transcontinental Gagné
Photo de l'auteur : Adrien Duey

Imprimé au Canada
© Les Éditions Transcontinental inc. et
Les Éditions de la Fondation de l'entrepreneurship, 2000
Dépôt légal — 1er trimestre 2000
5e impression, février 2007
Bibliothèque nationale du Québec
Bibliothèque nationale du Canada

Nous reconnaissons, pour nos activités d'édition, l'aide financière du gouvernement du Canada par l'entremise du Programme d'aide au développement de l'industrie de l'édition (PADIÉ). Nous remercions également la SODEC de son appui financier (programmes Aide à l'édition et Aide à la promotion).

Pour connaître nos autres titres, consultez le **www.livres.transcontinental.ca**. Pour bénéficier de nos tarifs spéciaux s'appliquant aux bibliothèques d'entreprise ou aux achats en gros, informez-vous au **1 866 800-2500**.

Jacques Renaud

LE MANAGEMENT D'ÉVÉNEMENT

Les Éditions Transcontinental

fondation de l'entrepreneurship
ÉDITIONS

fondation de
l'entrepreneurship

La **Fondation de l'entrepreneurship** s'est donné pour mission de promouvoir la culture entrepreneuriale, sous toutes ses formes d'expression, comme moyen privilégié pour assurer le plein développement économique et social de toutes les régions du Québec.

En plus de promouvoir la culture entrepreneuriale, elle assure un support à la création d'un environnement propice à son développement. Elle joue également un rôle de réseauteur auprès des principaux groupes d'intervenants et poursuit, en collaboration avec un grand nombre d'institutions et de chercheurs, un rôle de vigie sur les nouvelles tendances et les pratiques exemplaires en matière de sensibilisation, d'éducation et d'animation à l'entrepreneurship.

La Fondation de l'entrepreneurship s'acquitte de sa mission grâce à l'expertise et au soutien financier de plusieurs organisations. Elle rend un hommage particulier à ses **partenaires** :

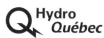 

ses **associés gouvernementaux** :

Québec ❖❖   Canadä

et remercie ses **gouverneurs** :

La vraie liberté n'existe
que dans la fidélité et l'obéissance
que l'on doit à la cause
que l'on a choisie.
Jean-Louis Barrault

P R É F A C E

de Guy Laliberté,
président-fondateur du Cirque du Soleil

Quand tu m'as fait part de ton projet de livre sur la gestion d'événements, c'est toute l'histoire du Cirque du Soleil qui m'est revenue en tête ; nos balbutiements, nos crises, nos victoires, et toute l'énergie nécessaire à la création d'un spectacle de tournée.

Tu as d'abord été le premier qui a cru en ce projet un peu fou de créer un cirque original au Québec, puis un précieux conseiller lorsque notre bande de Saltimbanques était une organisation naissante qui cherchait son chemin. Tu es maintenant l'ami qui partage avec les artisans du Cirque la passion des idées qui font rêver et tu possèdes un sens inné pour les réaliser.

Je me suis demandé si on pouvait réellement partager dans un écrit la folle expérience de réalisation d'un événement, composée d'alliances stratégiques, de travail d'équipe, d'imprévus, de questionnements et de joies. Tenter d'en parler, avec un regard critique et sans trahir la réalité du terrain, relève de la performance.

Ta feuille de route impressionnante en organisation d'événements et tes années d'expérience à conseiller les gestionnaires de projets divers, voilà le bagage que peu d'auteurs ont avec eux. Outre cela, ta grande capacité de synthèse fait en sorte que tu parviens à faire jaillir de la lumière là où la confusion recouvre parfois l'action. Sans ces atouts, il est impossible de prétendre partager l'essence même du « management d'événement », comme le fait si bien ton premier livre.

La grande qualité de cet ouvrage est certainement de partager avec les organisateurs et les organisatrices non seulement une approche globale de la gestion d'événements, mais aussi les trucs de métier pour leur permettre de comprendre davantage le monde fascinant de l'événement. En aidant un seul parmi eux à réaliser son rêve, ton ouvrage rejoint les valeurs du Cirque du Soleil et s'inscrit déjà dans l'esprit de ses plus grandes réalisations.

Chapeau Jacques !

UN MOT
DE L'AUTEUR

La vie est un événement. Un événement auquel viendra se greffer au quotidien une multitude de petits événements. Chaque être humain, avec plus ou moins de talent, est « le maître d'œuvre de son événement ». Chaque être humain est un peu un organisateur d'événement en puissance. Ce constat peut sembler simpliste au premier abord, mais tout organisateur d'événement néophyte ou chevronné a intérêt à ne jamais perdre de vue cette dimension.

Présenter en toute simplicité le « management événementiel », voilà ce que propose cet ouvrage. Réaliser un événement, qu'il soit modeste ou grandiose, relève d'abord d'une gestion rigoureuse qui repose sur bien peu de chose :

Quoi, qui, quand, combien, comment et, surtout, pourquoi ?

Le management événementiel est une forme de gestion qui s'est élaborée sur le « terrain » par le partage des expériences de ses adeptes. Je suis heureux de constater que, au début des années 2000, l'expertise en gestion d'événements a grandement évolué, donnant naissance à de nouveaux métiers. Cette forme de gestion, dérivée de la gestion de projets classique, est en voie d'être reconnue par les maisons d'enseignement, qui s'y intéressent de plus en plus. Mes activités de formateur m'ont permis de collaborer à cette tâche. Ces nombreuses prestations ont été autant d'occasions de synthèse et de vulgarisation pour transmettre à d'autres ma passion pour l'organisation d'événements.

Merci à la Fondation de l'entrepreneurship de son invitation à écrire ce livre. Un merci tout spécial à Sylvain Bédard et à Jean Paré, des Éditions Transcontinental, pour leur soutien et leurs bons commentaires. Merci à Laurent Lapierre de m'avoir dirigé vers eux.

Merci à Ben et Ben (Benoît Quessy et Benoît Gignac), un duo de communicateurs imbattables, ainsi qu'au comité consultatif : Nicole Boudreau, Yves Grandmont, Pierre-Paul Leduc, Lise Loiselle et Denis Robichaud. Grâce à leur apport, ce livre pourra atteindre un plus large public.

Merci à Gilles Charest pour le partage de sa vision du leadership.

Merci à Monique Dansereau et à Monique Gagné pour leurs commentaires sur les instances décisionnelles d'une organisation à but non lucratif.

Merci à Vincent Fisher pour ses commentaires et son inspiration pour la section sur le financement privé.

Merci à Claude Tremblay pour sa vision de l'événement et son apport à la section sur la gestion budgétaire, ainsi qu'à Ginette Bergeron pour avoir rendu accessible la section traitant de la structure de financement.

Merci à tous ceux et celles avec qui j'ai eu l'occasion de travailler durant ces 25 dernières années. Sans toutes ces expériences vécues et partagées, ce livre serait sans fondement.

Merci à Guy Laliberté, président-fondateur du Cirque du Soleil, pour sa confiance et son amitié sans cesse renouvelées depuis tant d'années.

Merci à André, Annick, Kiang, Madi et Yaelle pour leur présence encourageante durant ces longs mois d'écriture.

Merci à Lulu (alias Lucienne Losier) pour sa précieuse et souriante collaboration à la promotion de cet ouvrage.

Merci à ma mère qui a su reconnaître l'organisateur avant tout le monde.

Souhaitant que ce livre vous transmette un peu plus l'audace de réaliser !

Jacques Renaud

Singapour, 27 décembre 1999

L I S T E   D E S   T A B L E A U X

Chapitre 6

Épilogue

LA GESTION ÉVÉNEMENTIELLE

Une façon de voir et de faire

> *Qu'est-ce qui a fait la différence entre le party d'anniversaire de mes 39 ans et celui de mes 40 ans ? La chanteuse d'opéra dans mon salon, entourée de ma famille et de mes amis, a fait de mon 40ᵉ anniversaire un événement marquant que je n'oublierai jamais !*

Organiser un événement, c'est d'abord gérer la créativité. L'événement doit sortir de l'ordinaire. Il cherche habituellement à être nouveau, original, inusité et de qualité. Il fait toujours appel à la création, à l'innovation et à l'audace.

Organiser un événement, c'est gérer une aventure créative et vivante. Parce qu'il s'agit de créer, voire d'innover, on s'imagine souvent qu'il n'y a pas de méthode, qu'il n'y a pas de savoir-faire et qu'il faut chaque fois réinventer la roue. Or, l'expérience a permis de constater que les gestionnaires d'événements se butent souvent aux mêmes difficultés, provenant la plupart du temps d'une vue d'ensemble incomplète de leur projet, d'une perte de la maîtrise de l'organisation ou d'un égarement par rapport à la mission initiale. La réflexion entourant ces phénomènes répétitifs de gestion que l'on rencontre d'un événement à l'autre a stimulé la rédaction de cet ouvrage qui présente des avenues de solutions.

Un événement mort-né, c'est :

• un mauvais concept ou une commande de départ mal définie ;
• un consensus des leaders ou une complicité d'équipe trop fragile ;
• une organisation mal structurée ou un pouvoir de décision ambigu ;
• une planification sans conception.

Un événement vivant, c'est :

• la force d'attraction du concept et la qualité du produit ;
• le leadership des dirigeants et la cohésion de l'organisation ;
• la capacité de s'organiser et de communiquer son projet.

Gérer un projet événementiel, c'est d'abord gérer la créativité. Mais n'oublions pas que, pour faire vivre une bonne idée, il faut une organisation. C'est l'organisation qui est vivante et non l'idée.

◆ ◆

Une idée sans organisation est un projet mort-né,
mais une organisation sans idée tourne en rond.

◆ ◆ ◆ ◆ ◆ ◆ ◆ ◆

La délicate tâche de mettre en place et de diriger les ressources nécessaires à la concrétisation des idées revient aux « ingénieurs de l'événement ». Leur défi consiste à instaurer une saine gestion pour canaliser une saine tension entre les concepteurs et les réalisateurs de l'événement.

Le management d'événement aborde la gestion sous l'optique d'une énergie vivante et mouvante plutôt que comme un système de compilation de données rigides et immuables. C'est là l'originalité et la couleur de ce livre. «Être leader de son organisation et maître de son événement», voilà le message ultime que doivent saisir les lecteurs :

- **Être leader de son organisation** et non à la remorque des individus qui la composent ;
- **Être maître de son événement** et non à la remorque des obstacles qui se dressent sur son parcours.

Le leader sait entraîner et encourager les membres de son organisation. Il valorise l'effort et l'excellence en tout temps et fait preuve de reconnaissance au bon moment. Il sait être à l'écoute de son monde et respecter le rythme de son organisation, car il a à cœur l'amélioration de la vie professionnelle de ses gens pour le bien-être du projet.

Le maître est la personne qui dirige le projet avec poigne. Il aime discuter, mais quand vient le temps de prendre des décisions, il agit avec détermination. Il maîtrise ce qu'il fait et sait où il s'en va. Il commande aux destinées du projet. C'est une personne respectée, car on lui fait confiance.

La nuance entre ces deux rôles est importante. Une organisation a besoin d'un bon leader et un projet aura toujours besoin d'un grand maître et non l'inverse. Chercher à maîtriser son organisation est une grave erreur, tout comme assurer seul le leadership ne sera pas suffisant pour mener le projet à terme.

La symbiose de ces deux rôles, qu'ils soient assumés par une même personne ou par un groupe restreint, est un gage de succès pour tout événement. On rencontre souvent de ces tandems à succès parmi les producteurs d'événements : Laliberté-Gauthier (Cirque du Soleil), Simard-Ménard (Festival international de Jazz de Montréal), L'Espérance-Bissonnette (Avanti, spectacle/TV).

21

Quand on regarde agir les dirigeants des grands événements à succès, cela ne fait aucun doute : ils savent diriger leurs projets. Ils sont incontestablement les grands patrons.

Le contenu de l'ouvrage

Le titre *Le management d'événement* indique qu'il s'agit d'une approche généraliste de l'ensemble des dimensions que comporte la gestion d'un événement public. En plus de communiquer sa passion pour la gestion événementielle, l'auteur désire :

- donner une vue d'ensemble de l'environnement de gestion d'un événement ;

- mettre en perspective les différents métiers qui composent l'organisation d'un événement ;

- offrir des outils pratiques pour la conception, la planification, l'organisation et la gestion d'un événement ;

- permettre au gestionnaire de mieux se situer à l'intérieur de son propre univers.

Un mélange soigneusement dosé entre la théorie, la pratique et les témoignages fait de cet ouvrage un guide d'intervention stratégique pour aider les organisateurs d'événements et les gestionnaires de projets dans la conquête de leur gestion quotidienne.

L'auteur a délibérément opté de limiter ses témoignages à quelques expériences vécues pour permettre au lecteur de se retrouver plus facilement. Comme les personnages d'un roman qu'on prend plaisir à découvrir en cours de lecture.

CHAPITRE 1 : L'ÉVÉNEMENT
Saisir les fondements de l'événement d'aujourd'hui

Le monde de l'événement est sans frontières reconnues. Tout peut être événement, mais tout n'est pas événementiel. Le premier chapitre met en lumière les traits de caractère distinctifs d'un événement public. Un bref regard sur le monde de l'événement au Québec au cours des 30 ou 40 dernières années permettra de mieux saisir la réalité d'aujourd'hui.

Les cinq chapitres suivants présentent tour à tour un élément distinct et complémentaire qui intervient dans l'environnement de gestion d'un événement.

CHAPITRE 2 : POURQUOI ?
Découvrir le sens de son projet d'événement

- Pourquoi le projet existe-t-il ?

- La « gestation du projet » à partir des idées embryonnaires des promoteurs

- Un consensus de base à établir entre les futurs leaders

- L'espace de réalisation du projet à délimiter et son minimum vital à établir

CHAPITRE 3 : QUOI ?
Savoir présenter son projet d'événement aux décideurs

- C'est quoi le projet ?

- La « naissance du projet » qui prend forme au sein des dirigeants

- La confirmation des décideurs et des partenaires à obtenir pour lancer le projet

- Le cadre de réalisation du projet à définir

Chapitre 4 : QUI ?

Mettre en place une organisation responsable

- Qui est responsable de quoi ?
- Le « baptême du projet » qui prend corps au sein de l'organisation qui s'agrandit
- Le partage des rôles et des responsabilités à arbitrer entre les joueurs
- La structure organisationnelle à mettre en place pour la réalisation du projet

Chapitre 5 : QUAND ?

Mettre en place une gestion stratégique du temps

- Qui décide quoi et quand ?
- Le « cycle de vie du projet » qui se déroule en suivant ses phases de réalisation
- Les décisions cruciales et les opérations importantes du projet à planifier
- L'échéancier stratégique à établir pour le suivi du projet

Chapitre 6 : COMBIEN ?

Décentraliser le pouvoir de l'argent sans en perdre le contrôle

- Quelles sont les limites financières du projet ?
- Le projet atteint « sa maturité » pour vivre sainement selon ses moyens
- L'argent à trouver d'abord pour mieux le gérer ensuite
- Une campagne de financement à réussir
- Un contrôle budgétaire à exercer

CONCLUSION : **COMMENT ?**

Agir avec son organisation pour relever le même défi

- Comment fait-on pour relever un même défi ?
- « Vivre son projet » dans un climat organisationnel sain
- Un équilibre à trouver pour canaliser toutes les énergies
- Un modèle de gestion événementielle à expérimenter

ÉPILOGUE : **L'AVENIR**

L'événement après l'an 2000 : une nouvelle attitude

En terminant, l'auteur réfléchit sur l'avenir de l'événement à l'aube du troisième millénaire et prédit que bon nombre des organisations événementielles d'aujourd'hui n'auront pas d'autre choix que d'adopter un changement d'attitude pour survivre.

Au terme de la lecture de cet ouvrage, le lecteur néophyte aura découvert les notions de base pour lancer son événement avec assurance et le lecteur averti aura acquis une meilleure compréhension de la gestion de son événement. Vraisemblablement, ce dernier aura pris davantage conscience des raisons sous-jacentes aux problématiques qu'il vit et sera en mesure de définir de nouvelles pistes d'amélioration. Quant aux curieux en général, ils pourront, grâce à cet ouvrage, s'initier au monde merveilleux de l'événement et à ses nouveaux métiers.

Un lexique de base

- Les termes **projet** ou **événement** sont utilisés indifféremment dans cet ouvrage. Toutefois, un projet peut désigner à l'occasion un événement en devenir.

- Le terme **organisateur d'événement** est une expression utilisée pour désigner ceux qui travaillent à la réalisation d'un événement et les distinguer de ceux qui le conçoivent. L'expression **réalisateur** sera aussi utilisée à l'occasion pour différencier les organisateurs des concepteurs.

- Les termes **leader** ou **promoteur** sont utilisés sans distinction et désignent les instigateurs du projet, les propriétaires de l'idée. Ils incarnent « l'âme du projet » et occupent souvent des fonctions de direction.

- Les termes **dirigeant** ou **équipe de direction** sont utilisés sans démarcation. Ils désignent les cadres supérieurs et les cadres intermédiaires qui forment habituellement l'équipe des directeurs de l'organisation.

- Le terme **gestionnaire** est largement utilisé pour désigner tous les cadres de l'organisation incluant l'équipe des directeurs mentionnée ci-dessus. Les expressions **organisateur-gestionnaire** ou **gestionnaire-responsable** sont des fantaisies de l'auteur pour désigner ces mêmes personnes.

- Le **féminin** et le **masculin** sont utilisés sans préjugés, même si, dans les faits, le féminin l'emporte souvent en nombre sur le masculin dans l'organisation d'un événement !

L ' É V É N E M E N T

Saisir les fondements
de l'événement d'aujourd'hui

La Fête-Dieu à Québec, du peintre Jean-Paul Lemieux
(huile sur toile, 1944)

Musée du Québec/Patrick Altman

1.1 La définition de l'événement

Le monde de l'événement est une réalité passablement nouvelle (dans sa forme actuelle), sans définition et sans frontières reconnues. Peu d'études ont été menées à ce jour sur les valeurs intrinsèques des événements au Québec ou sur l'émergence des nouveaux métiers qui en découlent.

À défaut de standard reconnu, tout peut être événement. Le dictionnaire *Le Nouveau Petit Robert* donne 23 synonymes ou termes repères au mot événement et des exemples à profusion, mais sans formuler une véritable définition de ce qui est généralement appelé un événement public. Or, il est amusant de trouver sur la jaquette qui ceinture une édition récente : « L'ÉVÉNEMENT ! Le Nouveau Petit Robert ».

Cet ouvrage se concentre sur l'événement public et, au risque d'en surprendre plusieurs, propose la définition suivante :

◆ ◆

Un événement est une occasion particulière
de se rassembler pour célébrer
une idée, une cause ou des gens.

◆ ◆ ◆ ◆ ◆ ◆ ◆ ◆

1.1.1 Le caractère de l'événement

Force est de constater que les traits distinctifs des événements peuvent varier de l'un à l'autre. Ainsi, un événement peut être ponctuel, récurrent, commercial, institutionnel, itinérant, etc. Les objectifs poursuivis par ces différents types d'événements peuvent avoir sur la gestion un effet dont il faudra tenir compte.

Un événement **ponctuel** est un événement unique qui ne se répétera pas. Il doit faire sa marque au moment où il se produit :

ex :
- Un événement mondial : la visite du pape Jean-Paul II au Québec (1984)

- Un événement d'actualité : le printemps du Québec en France (1999)

Un événement **récurrent** est un événement qui revient sur une base régulière (chaque année, tous les deux ans, etc.). Il doit constamment chercher à se renouveler tout en conservant sa nature propre :

ex :
- Un événement estival : le Festival d'été de Québec

- Un événement hivernal : la Fête des neiges de Montréal

Un événement **itinérant** est un événement mobile qui se déplace d'un territoire à un autre et qui entraîne généralement une lourde logistique de tournée :

ex :
- Un événement international : les tournées du Cirque du Soleil (Amérique, Europe, Asie)

- Un événement national : la tournée des chefs politiques en campagne électorale

1.1.2 La capacité d'attraction

La capacité d'attirer le public visé par l'événement est toujours son premier critère de succès. De plus en plus, l'événement est perçu comme un élément moteur pour attirer des touristes dans la communauté. Ce nouveau public a parfois des attentes bien différentes de celles du public local traditionnel et on devra en tenir compte dans les choix du projet (programmation, information, accueil, etc.).

Un événement **international ou national** est un événement dont le rayonnement s'étend à l'extérieur de ses frontières par la diffusion de ses activités ou la distribution de ses produits dérivés :

ex :
- Un événement sportif : le Grand Prix Air Canada de Formule 1 (diffusion de ses activités)

- Un événement culturel : le Festival Juste pour rire (distribution de ses émissions vidéo)

Un événement **provincial ou régional** est un événement dont la portée des activités est de nature à attirer une vaste clientèle des communautés avoisinantes :

- Un événement provincial : les Jeux du Québec

- Un événement régional : l'Exposition agricole régionale de Berthierville

Un événement **local** est un événement qui se déroule à l'échelle d'une communauté donnée :

- Un événement local : le Salon des artistes et artisans de Verdun

- Un événement national et local : les fêtes de quartier dans le cadre de la fête nationale du Québec

1.1.3 Les familles d'événements

Il serait faux de prétendre que l'événement appartient à un secteur spécifique d'activité économique. L'événement ne fait pas partie des « grappes industrielles » du gouvernement du Québec, mais il touche à nombre de celles-ci. On remarque cependant que certains milieux sont plus enclins que d'autres pour accueillir des événements. Il est plus juste de parler de famille d'événements selon le domaine de réalisation :

- Un événement **institutionnel** : une cause sociale ou humanitaire, etc.

- Un événement **culturel** : un spectacle, une exhibition, etc.

- Un événement **sportif** : une démonstration, une compétition, etc.

- Un événement **populaire** : une fête, un festival, un carnaval, etc.

- Un événement **touristique** : une animation, une attraction, etc.

- Un événement **sociétaire** : une promotion, un lancement, etc.

- Un événement **commercial** : un salon, un congrès, une exposition, etc.

Par ailleurs, d'autres milieux périphériques peuvent être aussi dynamiques en certaines occasions pour réaliser un événement. Pensons seulement aux événements politiques (une campagne électorale) ou à ceux des entreprises (la fête de Noël des employés). On pourrait allonger la liste sans fin.

En 1995, une étude de la clientèle[1], effectuée auprès de 200 organisateurs et promoteurs d'événements au Québec, a démontré que la majorité des organisateurs réalisent des événements depuis plus de 17 ans. Le secteur des sports et loisirs a dans ses rangs les organisateurs qui ont la plus longue expérience (20 ans), tandis que celui des attractions touristiques compte des ressources qui en organisent en moyenne depuis 15 ans.

> Le monde de l'événement n'est pas lié
> à un secteur d'activité économique.
> Il est davantage relié à une façon de voir et de faire.

1.2 Les origines des événements

Les fêtes locales, les festivals régionaux et les grands événements nationaux sont devenus aujourd'hui des incontournables pour toute communauté qui désire se distinguer ou sortir de l'ombre. Toutefois, le contexte de réalisation a considérablement évolué au cours des 30 ou 40 dernières années.

---

1 SOUCY, D., GAGNÉ ET ASSOCIÉS. *La pertinence d'un programme d'études collégiales en technique de gestion d'événements*, Rapport d'étude quantitative auprès des organisateurs et promoteurs d'événements, sondage, Québec, juin 1995, p. 8.

Un bref regard sur les origines des événements publics au Québec permettra au lecteur de mieux saisir les caractéristiques des événements d'aujourd'hui et de mettre en perspective les nouveaux métiers qui en émergent.

En gros, la petite histoire récente des événements au Québec se résume ainsi :

- La période avant 1960 : l'époque de la préhistoire

- La période 1960-1985 : le « baby-boom » de l'événement

- La période 1985-2000 : l'ère de la sélection naturelle

1.2.1 Avant 1960 : l'époque de la préhistoire

Les ancêtres des événements tels qu'on les connaît aujourd'hui sont d'origines diverses :

- Les événements religieux : la traditionnelle procession de la Fête-Dieu

- Les expositions agricoles : l'Exposition agricole de Saint-Hyacinthe (1936)

- Les événements sportifs : les Régates de Valleyfield (1938)

- Les événements populaires : le Carnaval de Québec (1955)

À la suite de ces événements « traditionnels », on a vu naître, un peu partout au Québec, des fêtes populaires estivales et des carnavals d'hiver. Les Québécois sont reconnus pour aimer se rassembler et célébrer, même en hiver. C'était l'époque des petits publics locaux, parfois régionaux, et peu connaisseurs.

Financièrement, on arrivait à survivre. On réalisait à peu de frais les activités une année à la fois : « L'an prochain ? On verra ça plus tard. » Les subventions étaient données selon le bon vouloir du député local qui, « en bon père de famille », tentait de soutenir les activités dans son patelin et d'en tirer profit politiquement.

La commandite, au sens où on l'entend aujourd'hui, n'existait pas. C'était l'époque du mécénat. On frappait à la porte du responsable des dons de charité de grandes sociétés, et on quêtait du mieux qu'on pouvait un brin d'argent et beaucoup de soutien technique. On a ainsi entretenu une mentalité de « quémandeur », encore présente aujourd'hui chez bon nombre de promoteurs d'événements à but non lucratif.

Quant à la commercialisation des événements, elle n'était pas encore inventée, sauf pour la vente de bière qu'on laissait souvent au prix coûtant. Bref, on vendait une cause, on ne faisait pas de commerce lucratif.

Sauf exception, comme dans le milieu du sport, le métier d'organisateur professionnel d'événement n'existait pas encore. Toute l'organisation reposait sur une structure bénévole, souvent encadrée par les communautés religieuses. Tout le monde faisait de son mieux. La spécialisation n'était pas encore apparue, mais la hiérarchie existait déjà. On travaillait en comités de bénévoles et on travaillait fort.

1.2.2 1960-1985 : le « baby-boom » de l'événement

De 1960 à 1985 s'est formée une génération d'organisateurs professionnels d'événements. Ce fut la belle époque de grands événements à gros budgets :

- Le Festival de la crevette de Matane, un classique (1964)

- L'Exposition universelle de Terre des hommes, une reconnaissance mondiale (1967)

- La Superfrancofête à Québec, une ouverture sur la francophonie (1974)

- La Fête nationale sur le mont Royal, un véritable happening (1975)

- Les Jeux olympiques de Montréal, un défi de réalisation (1976)

- Le référendum québécois, un moment historique (1980)

- Le Festival international de Jazz de Montréal, un pionnier (1980)

- Le Festival de théâtre des Amériques, un courageux (1982)
- Le Festival Juste pour rire, un audacieux (1983)
- Mer et Monde — Québec 84, un grand fiasco (1984)

Nos fêtes se politisèrent de plus en plus et devinrent le reflet de la société québécoise. Ce fut l'époque de la guerre des drapeaux (qui dure encore aujourd'hui). On vit apparaître de grands événements culturels largement soutenus par les gouvernements. On assista à de grands rassemblements qui eurent des percées internationales importantes. Le public devenait de plus en plus exigeant.

Le gouvernement participa de plus en plus au financement des projets. L'omniprésence des programmes d'aide gouvernementale, tels que le Programme des jeunes Canadiens, le Programme Perspectives-Jeunesse, le Programme d'initiatives locales, a permis à quantité d'organisateurs potentiels de se lancer (je suis de cette génération). Les frais importants de ces programmes obligèrent les gouvernements à être de plus en plus sélectifs. De nouveaux programmes firent alors leur apparition, comme le Programme d'aide spécifique aux grands événements. Ce fut la belle époque des grosses subventions. Au grand bonheur des organisateurs, les événements bénéficiaient enfin de la reconnaissance officielle des gouvernements.

En ce qui concerne la commandite, l'entreprise privée prit conscience des retombées positives et lucratives de cette nouvelle forme de partenariat. Nombre de ratés en cours de route ont cependant laissé un goût amer chez certains commanditaires et commandités. On apprenait à se connaître et à rentabiliser l'investissement de part et d'autre.

On a vécu à cette époque les balbutiements de la commercialisation : la vente de bière se poursuivait en engendrant de plus en plus de profits. Ce fut l'époque glorieuse du macaron (l'ancêtre de l'épinglette), du t-shirt et de la casquette à l'emblème de son événement. Ces activités commerciales étaient souvent perçues par les organisateurs culturels comme des activités de second ordre que l'on délaissait aux clubs sociaux locaux. Par contre, les organisateurs de fêtes populaires y trouvèrent vite leur intérêt et leur profit.

Le métier évolua sur le terrain par le biais de grandes organisations d'événements qui ont fait école. Les partis politiques ont emboîté le pas et ont créé des événements mémorables. Les grands spectacles « concepts » qui présentaient plusieurs artistes sur une même scène étaient à la mode. *J'ai vu le loup, le renard, le lion,* mettant en vedette Vigneault, Leclerc et Charlebois, fut un immense succès et devint *la* référence[2]. Bref, on faisait de l'événement sans trop savoir comment ! Cela provoqua l'émergence de nombreux organismes à but non lucratif, condition *sine qua non* pour obtenir une aide de l'État providence.

1.2.3 1985-2000 : l'ère de la sélection naturelle

L'époque des grands événements à gros budgets tirait à sa fin, sauf pour quelques exceptions :

- Rendez-vous Québec 87 (rencontre de hockey Canada-Russie)
- Les célébrations du 350e anniversaire de Montréal (1992)

L'événement est devenu une *manifestation touristique* selon la terminologie de Tourisme-Québec. Nous vivons l'époque d'un public averti de plus en plus cosmopolite. Les événements qui ont su miser sur leur force d'attraction touristique traversent avec succès cette époque de changements et, dans plusieurs cas, sont devenus de véritables institutions québécoises, entre autres :

- Sport : les Régates de Valleyfield (1938)
- Culture : le Festival international de Jazz de Montréal (1980)
- Loisirs récréotouristiques : le Carnaval de Québec (1955)
- Exposition : le Salon du livre de Montréal (1977)

L'approche du financement change considérablement en cette période de récession. C'est la fin de l'État providence. Le retrait des gouverne-

---

2 Spectacle d'ouverture de la Superfrancofête à Québec, le 13 août 1974.

ments obligeant à un changement d'attitude, on doit composer davantage avec l'entreprise privée (commandite) et avec les consommateurs (tarification, vente au public).

L'entreprise privée a appris de ses erreurs. Dorénavant, elle désire maximiser la visibilité et la rentabilité de ses investissements. Les gouvernements, à leur tour, revendiquent la visibilité en échange de leur soutien. L'ère du mécénat, telle qu'on l'a connue au Québec, est bel et bien terminée. Par le biais des événements, les gouvernements cherchent à gagner des votes et les entreprises, à vendre leurs produits.

Les promoteurs d'événements sont contraints de se réorganiser. Ils comprennent le potentiel lucratif de commercialiser leur événement sous toutes formes de dérivés et restructurent leurs activités pour en tirer profit. On voit apparaître des surplus, on pense profit, c'est enfin payant, « il y a de l'argent à faire dans l'événement ».

Les organisations se ramifient et donnent naissance à des entreprises à but lucratif en périphérie des organismes à but non lucratif pour exploiter la commercialisation de leurs événements : la compagnie Azur pour le Festival international de Jazz de Montréal, Les Entreprises Tous Azimuts pour le Cirque du Soleil, Films Rozon pour le Festival Juste pour rire. On cherche à ménager la chèvre et le chou. Sauvegarder l'organisme à but non lucratif (exempt d'impôt), faire des profits comme une entreprise privée à but lucratif et tenter de gérer le tout comme un trust : le Groupe Spectra pour le jazz, le Groupe du Soleil pour le cirque, et le Groupe Rozon pour le rire. De véritables entreprises événementielles sont ainsi mises en place.

Entre-temps, le métier d'organisateur d'événement se structure et se hiérarchise. On voit apparaître des producteur, producteur exécutif, producteur délégué, directeur de production, directeur technique. La profession se spécialise et se diversifie : concepteur, communicateur, administrateur, agent de financement, logisticien, etc.

1.3 De nouveaux métiers

Il faut voir le public réagir dans les rues de Montréal un soir de feu d'artifice (L'International Benson & Hedges) : « Tiens, ce bleu-là est nouveau cette année ! » « Les Espagnols font mieux que ça ! » « La musique ne suit pas le feu ! »

Nous faisons aujourd'hui affaire avec des publics avertis qui exigent qualité et diversité même si l'événement est gratuit. Réaliser un événement est devenu une opération sophistiquée qui fait appel à des expertises multiples. Qu'ils soient salariés ou bénévoles, tous doivent s'engager à fond et travailler fort pour contribuer au succès de l'événement.

1.3.1 Le métier d'organisateur

La nature du métier a évolué au cours des dernières années. Le financement public a disparu ou presque et n'a pas été entièrement remplacé par le financement privé. On ne peut plus penser à organiser un événement sans participer activement à son financement. L'organisateur d'événement doit d'abord autofinancer son emploi. Il doit travailler plus fort qu'il le faisait auparavant, pour le même prix.

L'organisateur modèle est un généraliste, passionné par le métier, qui croit en son événement et en son organisation, et qui sait partager sa passion avec ses partenaires. Il fait preuve d'initiative et d'audace. Il est ouvert, polyvalent et il sait s'adapter à toutes les situations.

De plus, l'organisateur doit se perfectionner. Ainsi, l'étude de 1995 mentionnée précédemment[3] a démontré que les principaux besoins des promoteurs d'événements en matière de perfectionnement se trouvent en informatique (82 %), en communication (75 %) et en technique de créativité (35 %). Ils disent de plus en plus faire appel au multimédia.

Force est d'admettre que le bassin de ressources humaines dans ce domaine repose largement sur un monde de pigistes (travailleurs

---

3   SOUCY, D., GAGNÉ ET ASSOCIÉS. *op. cit.*

indépendants) ou de bénévoles qui se sont forgé des spécialités en évoluant sur le terrain et en apprenant de leurs erreurs. Dans ce monde événementiel, la nuance entre un amateur et un professionnel de l'organisation n'est pas clairement établie, faute de normes pour officialiser la profession. Ainsi, une personne d'initiative et débrouillarde se retrouvera vite à assumer des responsabilités à un niveau supérieur.

Heureusement, on constate que, en ce début des années 2000, la gestion événementielle s'est largement propagée, produisant de nouveaux métiers, et qu'elle est en voie d'être reconnue par des maisons d'enseignement (collèges et universités).

1.3.2 La vocation de bénévole

Le monde de l'événement n'aurait pas la place qu'il occupe aujourd'hui sans l'apport des milliers de bénévoles qui ont tracé sa route. Pour ces hommes et ces femmes qui se sont donné corps et âme dans l'organisation de leur événement, c'était bien davantage une vocation qu'un métier.

Le bénévole doit sentir qu'il est un maillon de la grande chaîne de l'organisation. Il est un *travailleur* qui fait partie de l'organisation du projet au même titre que le salarié. Bénévole et salarié poursuivent la même mission et ont à cœur la réussite du projet. La forme d'encadrement du bénévole peut différer, mais, sur le fond, il est un membre à part entière de l'organisation.

Fondamentalement, il y a deux grandes catégories de bénévoles :

• Les **administrateurs** : ils ont un rôle de mandataire-fiduciaire, c'est-à-dire qu'ils représentent officiellement l'organisme au sens de la loi.

• Les **opérationnels** : ils accomplissent des tâches particulières sans aucune responsabilité légale, si ce n'est d'agir consciencieusement.

Tous donnent gratuitement et généreusement de leur temps et de leur énergie pour contribuer à la réalisation du projet. Cette forme d'engagement comporte des obligations, telles que celles d'adhérer à la mission du projet et à ses objectifs, d'assumer les responsabilités ou les tâches qui leur sont confiées, de respecter leur rôle et leurs limites, d'accepter d'être dirigés et de se conformer aux politiques et procédures.

Dans les organisations d'événements, on trouve souvent des bénévoles qui sont à la fois administrateurs et opérationnels. Par exemple, un administrateur bénévole qui est appelé à prendre une décision dans une réunion du conseil d'administration se retrouve souvent en autorité pour diriger une équipe, voire pour exécuter une activité. Ces trois chapeaux portés simultanément par le même titulaire peuvent créer beaucoup d'incompréhension dans l'équipe. Lorsqu'une personne occupe différentes fonctions dans l'organisation, elle doit en comprendre les limites et respecter les différents niveaux d'autorité pour assumer ces différents rôles au bon moment:

- L'administrateur en réunion du conseil d'administration **décide**.
- L'administrateur en exercice d'autorité dans une équipe de travail **dirige**.
- L'administrateur en action sur le terrain **exécute**.

La sélection des bénévoles est une première étape à franchir avec perspicacité. Fixez-vous des critères qui correspondent à la nature de l'emploi et choisissez avec soin vos bénévoles selon les vues recherchées. L'expertise, la motivation et la disponibilité sont les critères de base à privilégier. Oui, on peut refuser un bénévole dès l'entrevue pour éviter de gâter la récolte!

Le comité organisateur du défilé de la Saint-Jean en 1990 avait sélectionné plus de 2000 figurants bénévoles. Le recrutement s'était déroulé dans des écoles secondaires et des associations de jeunes selon des

critères établis. Chaque candidat et candidate avait signé un « contrat de service ». Ce contrat était un engagement ferme à participer aux formations, aux répétitions et au défilé, sans rémunération. Ce bout de papier, dûment signé (contresigné par les parents dans le cas des mineurs), a renforcé l'obligation de chacun à respecter son engagement. Le jour de l'événement, le taux de participation des bénévoles a été excellent.

Comme il n'y a pas de rémunération reliée à l'emploi, l'engagement du bénévole repose essentiellement sur sa passion envers le projet. Toutefois, il faut prendre en considération le fait que les bénévoles ont également leurs attentes et leurs raisons pour participer au projet. Issus de milieux très diversifiés, ils se regroupent autour d'un événement pour le défi, pour l'attrait du monde du spectacle ou de la chose publique, pour acquérir de l'expérience ou tout simplement pour fuir la routine.

Toutefois, un salarié ou un bénévole ont les mêmes exigences : l'équilibre entre ce qu'ils donnent et ce qu'ils reçoivent. Il est important de s'intéresser à la source de motivation du bénévole en compensation de ce qu'il apporte à l'événement. Comme tout travailleur, son rendement n'en sera que plus grand. Le bénévole est un travailleur qui a besoin d'encadrement et d'encouragement. Manifestez votre confiance et votre reconnaissance à vos bénévoles pour souligner leur apport au projet et vous augmenterez d'autant vos chances de les revoir l'année suivante.

Dans l'effervescence du moment, on peut facilement oublier le café du bénévole planté au coin de la rue à surveiller le public depuis des heures. Lui ne l'oublie pas, mais en bon bénévole, il sait qu'il ne peut quitter son poste! Des milliers de bénévoles participent ainsi au Tour de l'Île de Montréal chaque année. Le comité organisateur les traite bien, car il sait que, sans eux, cet événement qui offre la ville pour une journée à plus de 45 000 cyclistes serait impossible à réaliser.

Cet ouvrage s'adresse à tous les membres de l'organisation, qu'ils soient bénévoles ou salariés. Les lecteurs devront faire les nuances d'application, sans jamais perdre de vue que l'objectif du livre est de proposer des outils pour mettre en place une organisation responsable avec tous les travailleurs, bénévoles y compris.

Chapitre 2

POURQUOI ?

Découvrir le sens de son événement

Quel bonheur lorsque les leaders d'un projet d'événement établissent rapidement un consensus sur les solutions à mettre en place au moment où ils font face à une difficulté de parcours ! Cela témoigne qu'ils ont la même vision du défi à relever. En d'autres mots, ils ont su établir d'un commun accord la raison d'être du projet d'événement qu'ils désirent réaliser ensemble.

Malheureusement, trop souvent, les concepteurs, les réalisateurs et les décideurs ne prennent pas le temps de partager réellement leurs idées et encore moins leurs motivations par rapport à l'événement qu'ils préparent. Ils évitent de se poser la question fondamentale :

Pourquoi veut-on réaliser ce projet ensemble ?

Combien de fois me suis-je rendu compte, en cours de préparation d'un événement, que mes collègues et moi nous étions mal compris ! Je découvrais tardivement que nous ne poursuivions pas le même but. Le consensus n'était pas établi entre les leaders du projet à propos de ce que nous voulions faire et pourquoi nous voulions le faire ensemble.

Au terme d'une démarche conceptuelle réalisée avec le président et le directeur général d'une association qui désirait organiser un grand rassemblement de voitures anciennes et classiques à Montréal, en 1992, j'ai suggéré de présenter le projet aux autres administrateurs de l'association avant de le déposer aux autorités municipales. Le 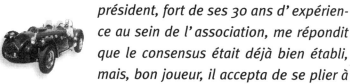 *président, fort de ses 30 ans d'expérience au sein de l'association, me répondit que le consensus était déjà bien établi, mais, bon joueur, il accepta de se plier à l'exercice. La rencontre, qui devait être une brève formalité, a été d'une grande intensité et a duré une journée entière. Après des échanges animés, ces friands d'automobiles*

anciennes ont finalement modifié certains aspects du pro-
jet et ajouté certaines nuances pour renforcer le consensus
établi. Oui, ce consensus existait, mais il était fragile. On
tenait un peu trop pour acquis que le long passé était
garant de l'avenir.

Ne pas tenir compte dès le départ des nuances des visions entre les leaders du projet, c'est prendre le risque de vivre des tensions et des frictions en cours de réalisation.

Ce chapitre présente une démarche d'orientation et propose une grille d'animation pour découvrir le sens du projet (voir tableau 2.1). Cette grille est un outil pour faciliter l'expression des visions poursuivies par les leaders du projet et de leurs motivations à s'y investir en tenant compte des réalités de l'événement. Cet exercice prendra la forme de réunions animées et dirigées, comme on le suggère à la fin de ce chapitre.

Au terme de cette démarche, l'ensemble des éléments obtenus quant aux visions, aux motivations et aux réalités entraînera les promoteurs à délimiter l'espace de réalisation du projet pour finalement établir le minimum vital qu'ils désirent à tout prix réaliser. C'est la raison d'être du projet !

TABLEAU 2.1

UNE GRILLE D'ANIMATION POUR DÉCOUVRIR LE SENS DU PROJET

1. Partager les différentes visions de l'événement

- Imaginer le projet à réaliser
- Projeter les résultats et les retombées escomptés
- Trouver un consensus de base sur la finalité du projet

2. Cerner les motivations des leaders

- Partager le défi personnel de chacun
- Évaluer les forces et les faiblesses du groupe
- Trouver le dénominateur commun

3. Tenir compte des réalités du projet

- Repérer les facteurs de risque
- Reconnaître les contraintes
- Dresser la liste des faits incontournables

4. Délimiter l'espace de réalisation

- Faire la synthèse des visions, des motivations et des réalités exprimées
- Fixer l'ordre de priorité par consentement

5. Établir le minimum vital

- Cerner les éléments rassembleurs
- Découvrir la raison d'être du projet

2.1 Les visions de l'événement

Parce qu'on trouve inutile de remettre en question son événement (après le succès de l'an dernier, on connaît la recette!) ; parce que le temps presse pour présenter le projet aux bailleurs de fonds ; parce qu'on sait qu'il n'y a pas de consensus entre les leaders du projet et qu'on s'imagine que le temps va arranger les choses comme par magie ; bref, pour toutes ces raisons et bien d'autres, on se prive souvent du plaisir de laisser aller son imagination pour créer ou recréer l'événement. Cet exercice est pourtant à faire et à refaire dès le départ de tout projet événementiel. Lancez toutes vos idées et partagez votre vision de l'événement avec vos collègues. Plus tard, les obligations quotidiennes du projet ne permettront plus de « perdre son temps à créer » !

Un tel exercice peut être compromis par la présence autour de la table d'organisateurs zélés qui se font un devoir de freiner toute imagination et toute créativité, et qui réagissent à chaque idée audacieuse en ramenant tout le monde à l'ordre : trop gros, trop cher, trop long, trop compliqué, bref, pas faisable ! Laissez vos contraintes à la porte pour participer au plaisir de réinventer votre événement. À cette étape, tout est bienvenu, aucune idée n'est trop exagérée, rien n'est trop gros, rien n'est trop cher, le bonheur quoi ! C'est le temps d'être idéaliste : « Sky is the limit ! »

Il vaut mieux voir gros, et même être un peu fou, au début, si l'on veut que, en bout de ligne, il reste quelque chose de différent et d'original. Ne vous inquiétez pas, décideurs, commanditaires, politiciens et autres autorités seront là pour vous ramener sur terre bien assez rapidement.

L'animateur a la charge de guider une discussion tous azimuts. C'est pourquoi tous les moyens d'expression sont bons pour faire rêver : imager ses propos par des esquisses dessinées au coin de la table, émouvoir les autres par une bande sonore bien choisie, renforcer ses idées par des événements comparables dans le monde. Commencer à froid un tel exercice de remue-méninges peut être laborieux pour l'animateur. Mais, s'il est long à démarrer, une fois bien amorcé, il est aussi souvent difficile à arrêter !

En cours d'animation d'un tel exercice, posez cette question : « Quelle est la critique que vous aimeriez lire dans le journal au lendemain de votre événement ? » Selon les réponses (un événement d'avant-garde, un grand succès de participation, une ouverture sur le monde, etc.), vos choix de départ seront bien différents. Une question plus simple encore peut être posée : « Spontanément, quels sont les mots, les émotions, les images qui vous viennent à l'esprit quand vous pensez à voix haute à votre événement ? » Les réponses spontanées (lumière, plaisir, jeux, histoire, rouge, parade, etc.) peuvent être amusantes pour démarrer la discussion.

En fait, il s'agit de vivre le projet avant tout le monde, de le visualiser ensemble. Que sera la soirée d'ouverture ? Que recherche-t-on comme atmosphère, comme couleur ? Qui souhaite-t-on accueillir comme artistes, comme invités, comme public ? Chemin faisant, les retombées et les répercussions recherchées par l'événement auront été cernées.

> *En 1998, quelques mois avant l'ouverture officielle du siège social Asie-Pacifique du Cirque du Soleil à Singapour, ma nouvelle collègue du service du marketing me décrivait son scénario de lancement avec passion. C'était coloré et de bon goût, mais l'endroit choisi, l'hôtel Ritz-Carlton, à mon avis, ne correspondait pas à la culture du Cirque. Par respect pour son «premier show» et pour la culture chinoise, je n'ai rien dit. Quand les autorités du siège social international à Montréal s'en sont mêlées tardivement, le Ritz a été rejeté. L'événement s'est finalement déroulé dans les quartiers généraux désaffectés d'une congrégation religieuse! Nos invités ont été charmés et nos producteurs, ravis. J'ai compris alors que, par souci de politesse, je n'ai pas été aidant pour ma collègue en ne partageant pas ma vision de l'événement.*

Au terme de cette première étape de l'exercice d'orientation en cours, vous aurez un bagage d'idées issues de visions parfois différentes. Ce n'est pas dramatique ; il existe souvent des ressemblances là où, au départ, on n'y voyait que des dissemblances.

Cet exercice, qui peut paraître une perte de temps alors qu'il y a tant à faire pour démarrer le projet, vous fera gagner un temps inestimable par la suite. Hauts en couleur et en émotion, les échanges sur la vision des leaders contiendront les ingrédients de base pour alimenter la conception du projet qui va suivre.

La voie vers la finalité poursuivie par l'événement aura été tracée !

2.2 Les motivations des leaders

À la simple question « Pourquoi je veux faire ce projet d'événement ? », attendez-vous à des réponses subtiles et souvent surprenantes.

Cerner les motivations des leaders signifie chercher à savoir pourquoi ils désirent s'investir corps et âme dans une telle aventure. Il est important de connaître dès le départ les ambitions personnelles et professionnelles de chacun pour mieux les respecter par la suite. Ces dimensions subtiles et intuitives peuvent avoir d'énormes répercussions sur la réalisation du projet. On accorde habituellement beaucoup d'importance au projet qu'on veut faire et trop peu à la raison pour laquelle on veut le faire.

Le fait d'exprimer ses motivations est un exercice difficile pour les leaders, car il n'est pas de pratique courante de livrer en public une partie sensible de soi. Et c'est bien de cela qu'il s'agit !

Il est important, pour cerner les motivations des leaders, de créer un climat de confiance propice à l'échange. L'animateur devra trouver la façon de s'adapter au rythme du groupe et non l'inverse.

Tant mieux si l'exercice fait apparaître des divergences d'opinions. Il vaut mieux les aborder au moment où les joueurs sont frais, dispos et polis que de les voir surgir plus tard, lorsqu'ils se seront engagés plus avant dans le projet et qu'ils seront beaucoup moins portés à la discussion.

Les motivations qui animent les leaders du projet sont souvent sans appel : « C'est à prendre ou à laisser. » Différents univers se côtoient. On doit chercher à mieux comprendre les ambitions de chacun et non à les remettre en question. Soyez sincère avec vous-même et avec vos collègues !

> *À l'occasion des Fêtes du 350ᵉ de Montréal, en 1992, la direction des communications s'est vite rendu compte que plusieurs personnes aspiraient à en être le porte-parole. Ainsi, avec beaucoup de finesse, le discours a été partagé : le maire parlera des retombées à long*  *terme pour sa belle ville, le président de la corporation des Fêtes défendra l'auto-financement de l'événement (on ne dépensera pas un sou qu'on n'a pas !), le directeur général dévoilera le concept original des célébrations, le directeur de la programmation vantera la qualité exceptionnelle des activités et, en bout de ligne, le pauvre directeur artistique pourra présenter son œuvre !*

Bien sûr, tout communicateur vous dira d'éviter de multiplier les porte-parole pour une meilleure pénétration du message. Mais, souvent, on n'a pas le choix et on doit composer avec les aspirations politiques de chacun. La chose publique est une drogue dont bien peu de leaders peuvent se passer.

La partie délicate consistant à partager ses intentions profondes étant faite, la partie facile et stimulante est à venir. Cherchez à trouver les éléments rassembleurs, ce qui unit et réunit les leaders autour du projet. Bref, trouvez le dénominateur commun entre les leaders du projet.

En 1990, à l'aube de la dixième édition du Festival mondial du folklore de Drummondville, j'animais, par un beau samedi matin d'avril, une démarche d'orientation sur la mission de l'événement avec les membres du conseil d'administration. Phénomène inévitable après tant d'années, le Festival vivait une diminution de clientèle, un essoufflement des troupes, des difficultés de recrutement des bénévoles, et une distance s'était installée entre la permanence et le conseil d'administration. La discussion tournait en rond et il n'y avait pas de consensus à l'horizon. Moi (comme eux, j'imagine), j'avais le goût de m'évader dans la campagne environnante que je voyais à travers d'immenses baies vitrées ensoleillées. Finalement, intuition d'animateur, j'ai posé la question :

« Écrivez en une seule phrase ce qu'est, pour vous, la mission du Festival. »

Chacun a inscrit sa « mission » sur de grandes feuilles blanches fixées au mur et nous sommes sortis pour la pause-café. Au retour, silence de mort, c'était la consternation. Il y avait à peu près autant de missions que d'administrateurs présents. Près de la moitié des missions exprimées ne mentionnaient même pas le thème mondial de l'événement : le folklore !

La discussion qui a suivi a été d'une belle intensité. Tous ont compris que la cause de l'égarement était là, au mur. Ils ne partageaient pas la même mission. Finalement, en cherchant un dénominateur commun dans tout cela, ils ont découvert ce qui les rassemblait. Le folklore était leur *moyen à eux pour favoriser les échanges entre les peuples et ainsi contribuer à la paix universelle sur la terre ! Près de 10 ans plus tard, le festival est devenu le Mondial des cultures de Drummondville.*

Aujourd'hui encore, en écrivant ce passage à Singapour où j'habite, je trouve émouvant que cette ville régionale du Québec se confie des idéaux si grands.

En établissant la liste des raisons véritables qui animent les leaders, on mettra en lumière les forces et les faiblesses du groupe. Quand viendra le temps d'élargir le groupe, on saura comment le compléter pour l'enrichir et ainsi éviter de faire double emploi. On aura tous compris que d'ajouter un autre porte-parole à l'équipe des Fêtes de Montréal aurait été une erreur. C'était surtout d'un bon comptable que ce groupe avait besoin, et il fut recruté !

Au cours de la discussion, si les participants confondent leur vision de l'événement et leurs motivations, ce n'est pas grave. À cette étape-ci, l'important est de dire franchement ce qu'on pense dans l'ordre ou dans le désordre. Plus tard, au moment de la phase de la conception, ces visions et ces motivations se retrouveront dans la bonne case tout naturellement.

Pour terminer l'exercice, on peut également s'interroger sur les raisons qui motivent les différents partenaires à investir financièrement dans le projet. Là non plus les réponses ne sont pas toujours des plus claires. Les retombées, pour eux, ne se calculent pas toujours en dollars, mais soyez sûr qu'ils s'attendent à un bon rendement de leur investissement de départ. Une ville investira souvent pour augmenter sa notoriété et le maire, son capital politique, un commanditaire, pour promouvoir son produit, et le consommateur, pour la qualité des activités offertes.

L'organisateur d'événement qui tient compte des raisons pour lesquelles les leaders et les partenaires veulent s'investir dans le projet s'assure de leur appui indéfectible jusqu'à la fin. Sans cet appui, le projet prendra difficilement son envol.

2.3 Les réalités du projet

Le résultat d'une élection peut changer le cours des choses et influer grandement sur le projet, selon que l'on se trouve du côté des perdants ou des gagnants. C'est là un facteur d'influence circonstanciel. Même chose pour l'argent dont on dispose pour le projet : on peut tenter d'en trouver plus pour en dépenser davantage, ce qui aura des conséquences immédiates sur la finalité du projet. Mais la tempête de pluie verglaçante qui empêche la tenue de votre événement, quand ça arrive, c'est incontournable ! Et même chose aussi pour le temps dont on dispose pour réaliser le projet : il n'y a que 24 heures dans une journée pour tout le monde.

Ce sont là des exemples de facteurs de risques ou des contraintes. Il en existe beaucoup d'autres propres à l'environnement de votre événement. C'est à vous de les trouver et d'en tenir compte.

Dans le cas d'un projet qui a un passé, on doit respecter sa culture et sa tradition et composer avec les gens qui sont en place. Toutefois, ce facteur est souvent moins contraignant qu'on ne l'imagine. Dans le cas d'un nouveau projet, le manque d'expertise et de crédibilité d'une jeune équipe de promoteurs est un autre exemple de facteur de risque qu'il faut prendre en considération.

À cette étape-ci, l'organisateur, qui freinait ses ardeurs dans les exercices précédents (vision et motivation) peut s'en donner à pleins poumons. Alors qu'il était prématuré d'exprimer toutes les contraintes reconnues pour ne pas démotiver les autres, il faut maintenant en tenir compte. Parlons de tous les problèmes techniques, financiers et autres qui peuvent nuire à la réalisation du projet, mais parlons-en positivement.

Dans le cas d'un projet en cours, les gestionnaires ont souvent des responsabilités très prenantes. S'ils sont préoccupés par des problèmes non résolus, n'essayez pas de les embarquer dans une démarche de projection de l'avenir. Cherchez d'abord avec eux des solutions à leurs soucis quotidiens. Écoutez-les vous exprimer leurs préoccupations, faites-en la synthèse, établissez un plan d'action à court terme et soutenez sa mise en application. Tout cela témoigne que malgré «l'exercice virtuel» que vous leur proposez, vous demeurez les deux pieds sur terre.

Le comité organisateur des Célébrations du 350ᵉ de Montréal a connu des hauts et des bas, comme c'est souvent le cas dans ce genre d'organisation temporaire. Après des mois d'attente pour une programmation qui ne venait pas, les autorités municipales ont remercié une première équipe de défricheurs pour en mandater une seconde. Avec elle, j'ai élaboré, comme organisateur-conseil, *un plan stratégique de développement des célébrations et de restructuration de l'organisation. Dès la première rencontre, on m'a remis la liste des 41 employés pour réévaluation. « C'est beaucoup trop, ai-je répondu. Décidons d'abord en quoi consistera la fête, puis nous déterminerons de qui on aura besoin pour la faire.» Cependant, pour sécuriser les esprits, un plan des priorités pour les activités en cours a été établi parallèlement, et un comité de suivi a été mis en place. Par la suite, une véritable démarche d'orientation a pu s'amorcer. Quelques semaines plus tard, la structure organisationnelle a été révisée en fonction du nouveau plan des célébrations fraîchement adopté par les autorités. Tous les travailleurs, sauf deux, ont poursuivi leur excellent travail.*

Dresser la liste de tout ce qui peut empêcher la réalisation d'un projet est chose facile, mais établir la liste des solutions possibles pour le réaliser sera toujours plus utile. L'organisateur qui aborde les faits incontournables de son projet avec un œil critique mais positif sera toujours plus apprécié que celui qui ne fait qu'exprimer à haute voix les réalités ou les difficultés que tout le monde connaît.

2.4 L'espace de réalisation

L'espace de réalisation de l'événement,
c'est la synthèse des visions de l'événement,
des motivations des leaders et des réalités du projet.

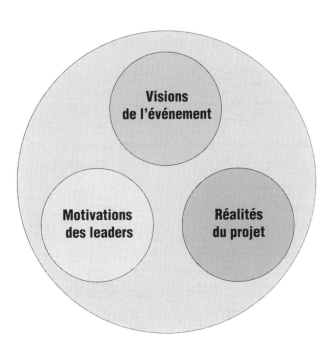

Résumons. Vous avez animé quelques réunions avec les promoteurs du projet et vous avez pris soin de faire une bonne synthèse du contenu exprimé. Vous avez en main une liste des idées (vision) que ces leaders souhaitent réaliser ainsi que des motivations qui les animent. Le tout tient compte du contexte (réalités) avec lequel ils devront composer. En peu de temps, vous avez fait du chemin !

En établissant cette liste, vous avez déterminé l'espace de réalisation de l'événement. Vous avez fixé les limites préliminaires à l'intérieur desquelles le projet pourra se réaliser. À ce stade-ci, ces limites sont probablement encore floues. Comme dans le cas d'un nuage, on n'en discerne pas clairement les contours, mais on peut en saisir les formes et la couleur. On sait où ça commence, mais on ne sait pas trop où ça va finir. C'est ça l'espace de réalisation de son projet.

N'oublions pas que nous sommes à la phase de l'orientation. Il est encore trop tôt pour parler de la mission ou des objectifs du projet, mais en établissant l'espace de réalisation de votre événement, vous aurez en main tous les éléments utiles pour les définir plus tard.

> *Depuis la fondation du Cirque du Soleil en 1984, son espace de réalisation est le domaine des arts du cirque. À partir de cette donnée, tous les moyens de diffusion sont possibles (spectacle vivant, multimédia, merchandising, etc.) sous toutes sortes d' approches artistiques. Facile, quoi ! Mais le Cirque, fort de son succès, a souvent été tenté de se diversifier autrement. Chaque fois, de bonnes discussions de fond et quelques brèves tentatives d' affaires ont convaincu les propriétaires de demeurer dans leur espace de réalisation. Ils ont fait le bon choix, car aujourd' hui le Cirque du Soleil reçoit plus d' offres qu' il est capable d' en produire... du cirque !*

Bien sûr, certaines organisations peuvent étendre leur champ d'activités et s'investir dans des espaces de réalisation complémentaires. Pensons au Groupe Spectra, qui réalise avec succès le Festival international de Jazz de Montréal ainsi que Les FrancoFolies de Montréal, et qui est en train de concevoir un événement d'hiver original, Montréal en lumière. En plus, Le Groupe Spectra gère des artistes, des salles de spectacles, etc. Ce groupe demeure quand même dans son espace de réalisation : organisateur d'événements à succès.

L'espace de réalisation du projet étant défini, il ne vous reste qu'à classer ces données selon l'ordre d'importance que le groupe de leaders veut y donner. C'est facile, car ce qui fait consensus se trouve en haut de la liste et ce qui ne fait pas l'unanimité est plus bas. Assurez-vous, cependant, que cet ordre de priorités s'établit réellement par consentement et non par compromis. La nuance est importante.

2.5 Le minimum vital

◆   ◆

Établir le minimum vital du projet,
c'est découvrir la raison d'être du projet.

◆   ◆   ◆   ◆   ◆   ◆   ◆   ◆

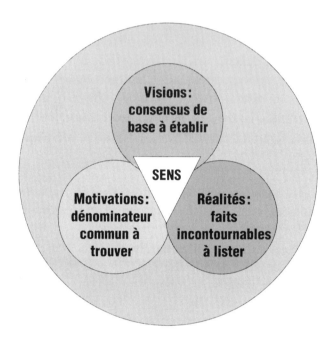

L'espace de réalisation, qui était à l'étape précédente une liste d'éléments jetés en vrac, se précise. Par une discussion rigoureuse visant à établir la courte liste des éléments rassembleurs, vous déterminerez le minimum vital du projet, c'est-à-dire les éléments à sauvegarder coûte que coûte tout au long de la réalisation du projet, sans lesquels le projet perdrait sa raison d'être.

Ce minimum vital endossé par les leaders permettra d'orienter plus facilement le choix des activités, du budget, du personnel, etc., et évitera bien des discussions et des remises en question tout au long de la préparation de votre événement.

Si vous ne respectez pas ce minimum vital, vous vous exposez à vivre, au sein de l'organisation, des tensions qui mineront le climat de travail et les résultats de l'événement. Si vous conservez ce minimum, vous êtes sur la bonne voie pour permettre à chacun de s'épanouir, tout en travaillant à la réalisation de l'événement.

Ne soyez pas surpris si, finalement, ce long exercice de préconception vous entraîne à résumer en quelques phrases l'essentiel du projet à réaliser ; c'était là le but.

2.6 Une démarche d'orientation

La grille d'animation pour découvrir le sens du projet (tableau 2.1), dont il a été question au début de ce chapitre, sert de référence pour animer une démarche d'orientation qui, même si elle est structurée, doit laisser place à la spontanéité des participants et s'adapter au rythme du groupe.

Cette démarche s'adresse aux principaux leaders du projet (les promoteurs), qu'ils soient décideurs, concepteurs, communicateurs ou réalisateurs. Idéalement, ils seront peu nombreux à participer à cet exercice, mais ils ont en commun de croire au projet et d'y adhérer avec passion. Ils se réuniront deux ou trois fois (ou plus, peu importe) pour réfléchir ensemble à l'événement qu'ils veulent réaliser. Bref, ils veulent découvrir le sens de leur projet. À cette étape-ci, autant que faire se peut, on évitera la participation d'un non-adhérent (mouton noir) qui ralentirait le processus ou l'empêcherait de fonctionner.

Le cadre de ces rencontres doit être stimulant et propice à l'échange. Peu importe qu'il s'agisse d'une réunion hors du contexte habituel ou autour d'un bon repas bien arrosé, l'important, pour réussir cet exercice de projection, est de regrouper le bon monde, au bon endroit, au bon moment autour du bon animateur. On doit être flexible quant aux moyens pour y arriver. Les réunions formelles du conseil d'administration ou du comité exécutif ou les réunions habituelles de gestion sont à éviter à tout prix.

On a profité d' un lunch informel avec le maire de Montréal pour le sonder sur sa vision et sur ses motivations quant aux Fêtes du 350e anniversaire de la ville. Quel est l' effet recherché pour les Montréalais ? Pourquoi dépenser 45 millions pour fêter en temps de récession ? Quel capital politique le maire veut-il en retirer ?

Ayant en tête la grille d' animation, je guidais la discussion informelle qui se déroulait. Le maire a répondu spontanément et avec assurance que ces fêtes devaient être l' occasion pour Montréal de se doter de nouvelles infrastructures, dont elle avait tant besoin. Ainsi, la fête n' était pas une fin en soi, mais un bon prétexte pour faire converger les budgets et les échéances des différents ordres gouvernementaux vers ce noble but.

Le choix d'un bon animateur fait toute la différence. L'animateur ne doit pas obligatoirement être le gestionnaire en autorité, mais la personne qui a le plus de facilité pour ce rôle. Un bon patron n'est pas nécessairement un bon animateur.

Ces discussions franches doivent obligatoirement faire l'objet de résumés qui seront partagés et entérinés par tous les participants au début de chacune des rencontres. Précisons qu'il s'agit d'un exercice de synthèse et non d'un procès-verbal. On cherche à établir les dénominateurs communs, non pas à relever « qui a dit quoi ». Cette synthèse représente le fond et le ton de ce que les gens ont retenu, et elle peut même aller au-delà dans le but de provoquer des réactions qui alimenteront les discussions d'une rencontre à l'autre.

Dans le cas d'un projet récurrent ou d'une commande à remplir, on croit souvent que l'on peut échapper à cette phase d'orientation. Erreur! Tenir pour acquis que la commande est claire et que son patron ou son client sait ce qu'il veut peut vous entraîner dans bien des détours! De même dans le cas d'un projet récurrent: appliquer bêtement la recette gagnante de l'année précédente est mortel à long terme, on ne le dira jamais assez!

Au terme de cette démarche exploratoire, vous aurez découvert le sens du projet, qui deviendra la référence pour la prochaine phase de conception. C'est un temps d'orientation, et non une étape décisionnelle, pour mettre en commun l'événement qu'on veut réaliser et les raisons pour lesquelles on veut le faire ensemble. Cette démarche vous permettra de valider la commande auprès des décideurs afin de corriger le tir avant de vous investir dans la réalisation du projet.

Établir le sens du projet, c'est partir sur des bases solides et communes. Le guide qui suit (tableau 2.2) vous aidera à le formuler aisément.

TABLEAU 2.2
UN GUIDE POUR LA FORMULATION DU SENS DU PROJET

Projet	→	L'ESPACE DE RÉALISATION	→	LE MINIMUM VITAL
Visions	→	• Par ordre de priorités	→	• Consensus de base
Motivations	→	• Par ordre de priorités	→	• Dénominateurs communs
Réalités	→	• Par ordre de priorités	→	• Faits incontournables

QUOI ?

Savoir présenter son projet
d'événement aux décideurs

La présentation d'un projet d'événement aux décideurs est une étape cruciale que l'on doit préparer avec créativité et méthode. Au cours des 25 dernières années, j'ai eu le plaisir d'assister à de nombreuses présentations de projets d'événements en tant que décideur ou proposeur. J'ai constaté qu'un projet présenté par ses concepteurs est souvent un moment très coloré, voire émouvant, qui révèle l'originalité de leurs idées (le contenu). Par ailleurs, un projet d'événement présenté par les gestionnaires a vite fait de sécuriser leurs interlocuteurs par la qualité des outils de gestion déposés (le contenant).

Or, l'expérience a démontré plus d'une fois que si l'on présente partiellement le projet aux décideurs (le contenu sans le contenant ou vice versa), on obtiendra une réponse mitigée ou, pire encore, la décision sera reportée jusqu'à la présentation complète du projet.

La complémentarité des deux styles fait une bonne présentation. Il est dans l'intérêt des promoteurs du projet d'exposer globalement leur projet d'événement (contenu/contenant) s'ils désirent obtenir l'aval des décideurs, des partenaires financiers ou des autorités politiques plus rapidement.

Au chapitre précédent, il était suggéré de délimiter l'espace de réalisation du projet ; il s'agit maintenant de préciser son cadre de réalisation, c'est-à-dire de fixer les paramètres à l'intérieur desquels le projet devra se réaliser. Si la première phase d'orientation a été bien menée, il sera d'autant plus facile de s'engager dans la seconde phase de conception, car le chemin est déjà tracé.

Le tableau qui suit propose un guide pour la présentation d'un projet d'événement. On y retrouve tous les éléments essentiels du cadre de réalisation du projet, nécessaire aux décideurs pour comprendre le projet et donner leur aval.

TABLEAU 3.1

UN GUIDE POUR LA PRÉSENTATION D'UN PROJET D'ÉVÉNEMENT

LA MISE EN SITUATION

L'introduction
• Le contexte
• Le sommaire du projet

LES ÉLÉMENTS DU CONTENU

L'orientation générale
• Le titre
• La mission
• Les objectifs
• Les standards

La description du projet
• Le programme général
• Le contenu descriptif
• Le calendrier des activités

La mise en marché
• Le positionnement
• Les marchés cibles
• Les stratégies

LES ÉLÉMENTS DU CONTENANT

La structure organisationnelle
• L'organisme responsable
• L'organigramme

L'échéancier préliminaire
• Les dates décisionnelles
• Les dates charnières

Le budget préliminaire
• Les revenus
• Les dépenses

LES RÉSULTATS VISÉS

La conclusion
• Les retombées

LES DOCUMENTS D'APPUI

Annexes (s'il y a lieu)
• Le CV des promoteurs
• Les lettres d'appui
• Les études
• La revue de presse
• Les plans

Regardons de plus près chacune des composantes de ce guide servant de référence pour la présentation complète d'un projet d'événement.

3.1 L'introduction

◆   ◆

Une bonne introduction, c'est vendre
le projet et sa pertinence en une seule page.

◆   ◆   ◆   ◆   ◆   ◆   ◆   ◆

• *Le contexte du projet*

Prouvez aux décideurs que le projet répond à un besoin pour un public éventuel, qu'il s'inscrit dans un contexte d'actualité ou qu'il vise des intentions de développement dans la communauté. Cernez les effets économiques, socioculturels, touristiques ou autres du projet qui auront des retombées positives dans la communauté. Bref, démontrez hors de tout doute que le projet est pertinent.

En 1983, aux fins des célébrations du 450ᵉ anniversaire de l' arrivée de Jacques Cartier en Nouvelle-France (1534-1984), le gouvernement du Québec recherchait un événement itinérant pour entraîner la fête dans les régions éloignées du Québec, à l' instar de l' explorateur français qui avait touché le continent à Gaspé. Au hasard 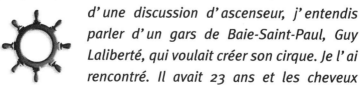 *d' une discussion d' ascenseur, j' entendis parler d' un gars de Baie-Saint-Paul, Guy Laliberté, qui voulait créer son cirque. Je l' ai rencontré. Il avait 23 ans et les cheveux blonds, longs jusqu' au bas du dos. Pour un gouvernement, ce n' est pas dans les normes ! Mais son idée correspondait à l'objectif de décentralisation de la fête que poursuivait le gouvernement. Le projet de créer un cirque original et québécois était pertinent dans le contexte des célébrations, même si le Cirque du Soleil n'avait rien à voir avec Jacques Cartier !*

• *Le sommaire du projet*

Convaincus que votre projet correspond à un besoin réel, les décideurs seront plus ouverts à la présentation de votre projet. Campez-le rapidement et concrètement dans l'esprit de vos interlocuteurs. Annoncez vos couleurs : quoi, où, quand sont des questions auxquelles il faut répondre d'entrée de jeu. Évitez pour le moment les questions « comment » et « combien » : elles viendront bien assez tôt. Une bonne introduction doit susciter l'intérêt dès la première page et piquer la curiosité des décideurs qui voudront en savoir davantage.

Suite de la petite histoire des débuts du Cirque du Soleil : Guy Laliberté, le fondateur, avait obtenu un mandat et un budget de départ pour définir son idée d'un cirque sans animaux sous un grand chapiteau bleu et jaune et pour en étudier la faisabilité. Je n'ai jamais oublié le jour de la présentation de son projet. Il est arrivé, entouré de sa jeune équipe énergique, et a déposé deux études devant nous. L'une, inodore et incolore, respectait les paramètres techniques et financiers de l'étude commandée. L'autre, colorée et inspirée, correspondait à son minimum vital, mais débordait largement le cadre budgétaire fixé. Guy était et est toujours un bon vendeur, très charismatique, car il croit passionnément à son cirque. Sa présentation a su convaincre les décideurs et provoquer un réajustement d' envergure dans le budget de la programmation des fêtes. Il a su profiter de ces célébrations pour partir du bon pied.

Depuis, le Cirque du Soleil a séduit plus de 15 millions de spectateurs dans le monde. Finalement, cela n' aura pas été un mauvais investissement.

3.2 L'orientation générale

Après une introduction qui aura su capter l'attention des décideurs, présentez l'orientation générale du projet. Cette partie est la plus délicate et la plus déterminante quant à l'avenir du projet. Ne vous attendez pas à obtenir un consensus rapidement de la part des décideurs sur des notions aussi déterminantes que le titre, la mission, les objectifs et les standards du projet, qui constituent l'orientation générale du projet. Prenez le temps qu'il faut pour faire cet exercice à fond.

• *Le titre*

Le titre est le cri de rassemblement de votre projet. Il est la principale source d'identification à l'interne et de communication à l'externe. Il est un symbole important pour susciter le sentiment d'appartenance au projet dans une organisation ou une communauté. Il est donc primordial qu'il soit à l'image et à la couleur de l'événement, et ce, en quelques mots. Le titre doit être vendeur et, surtout, rassembleur.

Durant de nombreuses années, j' ai collaboré à la promotion, au Québec, des éditions de l' ACCT, l' Agence de coopération culturelle et technique, qui est établie à Paris depuis plus de 25 ans et qui regroupe près de 50 pays *francophones et participants membres, dont le Québec. Combien de fois, au cours de nos activités promotionnelles, avons-nous été obligés de préciser aux fournisseurs et au public : « Non, il ne s'agit pas de la CSST*, il n'y a aucun rapport ! » Forcée de vivre avec un tel nom pour des raisons politiques et historiques, l'Agence s'est dotée par la suite d'un sous-titre : Organisation intergouvernementale de la francophonie. Quand on a besoin d'un sous-titre pour expliquer son titre, cela devient très problématique en matière de communication.*

Je vous mets en garde contre un titre de travail ou un titre provisoire qu'on choisit sans trop y penser au début du projet en se disant qu'on inventera un titre extraordinaire en cours de route. Finalement, ce titre temporaire se retrouve souvent sur l'affiche, faute de temps pour en trouver un meilleur.

Le titre de travail de cet ouvrage en cours en ce 11 novembre 1998 est « La spirale de l'organisation d'un événement ». On verra bien ce qu'il en adviendra !

● *La mission*

La mission est l'expression du but poursuivi. Elle constitue l'essentiel de la raison d'être du projet. Réussir à résumer en une phrase ce défi commun est souvent un exploit. Définir la mission de votre projet est un jeu de mots et de nuances. Laissez-vous entraîner dans les discussions de fond pour en ressortir avec une synthèse forte et, encore une fois, consensuelle entre les leaders du projet.

---

*Commission de la santé et sécurité au travail

On confond souvent les notions de vision et de mission. La vision est une vue imaginaire de ce que la mission poursuit. La mission se réalise, la vision demeure un idéal à atteindre.

>> *La mission du Cirque du Soleil se traduit ainsi : « Une organisation internationale fondée au Québec et dédiée à la création, à la production et à la diffusion d'œuvres artistiques. » Au début des années 2000, sa vision renouvelée est « Invoquer, provoquer et évoquer l'imaginaire, les sens et l'émotion des gens autour du monde », ce que sa mission lui permet de réaliser un peu plus chaque jour depuis sa fondation.* >>

• Les objectifs

La mission d'un projet est habituellement unique, mais ses objectifs sont multiples. L'énoncé des objectifs illustre les ambitions que le projet poursuit sur les plans qualitatif et quantitatif. Ainsi, on aura des objectifs de qualité, de rendement, de rayonnement, de retombées, etc. Les objectifs doivent être précis, voire quantifiés, si on veut les respecter facilement. Ils sont importants, car ils donnent les lignes directrices du projet.

>> *En 1994, à l'occasion de l'Année internationale de la famille, la Ville de LaSalle et la Chambre de commerce du sud-ouest de l'île de Montréal ont regroupé tous les intervenants familiaux de la région pour réaliser un événement ponctuel, Destination famille, dont les objectifs étaient les suivants :*

- *Créer un événement familial nouveau qui répond aux préoccupations des familles de la communauté lasalloise et des environs;*
- *Illustrer la qualité et la complémentarité des services publics et parapublics offerts à la famille;*
- *Mettre sur pied un événement rassembleur pour favoriser les échanges entre les services offerts et les familles dans le besoin;*
- *Atteindre un objectif de participation de 12 000 personnes en 2,5 jours;*
- *Autofinancer l' événement.*

Faites attention à ne pas dédoubler un même objectif inutilement. Trop souvent, on trouve dans la brochure promotionnelle d'un événement deux ou trois fois le même objectif exprimé en mots différents, comme s'il fallait remplir l'espace à tout prix !

• Les standards

Les standards sont des critères clés qui serviront de référence pour aider à faire les bons choix quant au contenu du projet. Ils régiront en grande partie tout le travail des concepteurs et seront souvent déterminants pour le choix final des activités. Qualité et originalité demeurent des standards de base hautement appréciés par tous les genres de public. Peu importe qu'ils soient établis par les concepteurs ou les décideurs, les standards sont des indicateurs de rendement qui doivent être respectés par tous.

> *Poursuivons avec le projet Destination Famille. Les standards ont été établis comme suit :*
>
> * *Informer : interroger, renseigner, diffuser*
> * *Échanger : partager, exprimer, se reconnaître*
> * *Participer : toucher, goûter, jouer*
> * *Animer : divertir, rire, enchanter*

Ainsi se termine la présentation des éléments constituant l'orientation générale du projet : le titre, la mission, les objectifs et les standards. On aura compris que cet exercice de mots est déterminant pour l'avenir du projet. Il est de la responsabilité des décideurs d'approuver ce contenu stratégique et d'en faire comprendre les nuances d'application aux réalisateurs du projet, s'ils désirent qu'ils s'orientent tous dans la même direction.

Mon avocat m'a dit un jour : « Un bon contrat doit être court et dire clairement les choses sans jamais les répéter. » Je pense qu'on peut appliquer ce principe à l'orientation générale du projet, qui se doit d'être un bon contrat entre les décideurs et les réalisateurs. Évitez la phraséologie et la répétition qui ne feront qu'ajouter de la confusion dans l'équipe.

◆ ◆

Il n'y a pas de mal à être compris du premier coup.

◆ ◆ ◆ ◆ ◆ ◆ ◆ ◆

3.3 La description du projet

❖ ❖

L'enjeu : dévoiler son événement
sans tomber dans un dédale technique.

❖ ❖ ❖ ❖ ❖ ❖ ❖ ❖

Plus la description du projet est précise et colorée, plus elle plaît et fait vibrer les décideurs. On doit à la fois leur dire clairement ce que l'on veut faire et leur faire ressentir l'atmosphère que l'on veut créer.

Soyez emballant et original, et démontrez la qualité autant dans la présentation de votre projet que dans l'événement que vous proposez. La description du projet repose sur trois éléments : le programme général, le contenu descriptif et le calendrier des activités.

• *Le programme général*

Le programme général est la présentation des principaux éléments de la programmation de l'événement : la thématique et les sous-thèmes, le concept des journées d'ouverture et de clôture, la définition des catégories d'activités, le profil des artistes visés, l'approche de l'accueil et de l'animation du public, etc. Il précise également les lieux de diffusion et la période d'activité.

Les décideurs auront en main la trame de fond de votre événement : c'est le contenu minimal qu'ils veulent et doivent connaître. Attention, cependant ! On oublie parfois de mentionner certains renseignements pertinents, parce que, pour la personne en charge, ils vont de soi !

En 1990, à l'occasion du Festival Juste pour rire, volet Drôle de rue (activités extérieures), plus d'un million d'exemplaires du dépliant promotionnel ont été distribués

73

partout au Québec. Très coloré, à l'image du bonhomme vert du festival, le dépliant ne mentionnait nulle part que l'événement avait lieu rue Saint-Denis à Montréal. Pour nous, les organisateurs, comme pour les Montréalais en général, c'était évident, mais à Val-d'Or ou pour un Américain en visite chez nous, ce ne l'était pas du tout! Une erreur lourde de conséquences que je n'ai jamais oubliée.

• Le contenu descriptif

Si vos interlocuteurs sont intéressés et si vous possédez l'information, allez-y, illustrez le programme général avec plus de détails. Par exemple, on peut ajouter des éléments concrets aux scénarios des journées d'ouverture et de clôture ou dévoiler le contenu des catégories d'activités.

Toutefois, tout ce que vous avancez devra être réalisé. Soyez donc prudent : ne dévoilez que ce qu'il est possible de faire et mettez de côté pour plus tard toutes les bonnes idées non validées. Il vaut mieux en dire moins et en accomplir plus que l'inverse.

Présentez les activités que vous organiserez plutôt que les actions opérationnelles que vous exécuterez pour y arriver. La nuance est importante. Par exemple, il ne s'agit pas de préciser les détails techniques du grand spectacle d'ouverture, mais de vendre le contenu de cette activité unique. Les décideurs souhaitent savoir ce que vous voulez faire et non pas comment vous vous y prendrez pour y parvenir. C'est à nous, organisateurs, de nous soucier des détails techniques par la suite.

Le contenu descriptif des activités doit ajouter une plus-value à la présentation du projet. Il doit être en relation directe avec la présentation du programme général.

• *Le calendrier des activités*

Le calendrier des activités schématise chronologiquement toutes les activités annoncées. Quand on le présente, on entend souvent ce genre de commentaires : « Ah, c'est ça que tu veux dire, ok, j'aime ça ! » Le calendrier des activités est un outil de présentation tangible et connu. Tout le monde s'y retrouve, car c'est concret.

Ce calendrier est cependant beaucoup plus que l'énumération des activités. Il est comme le découpage d'un film : tout se joue sur une question de rythme. Combien d'insuccès j'ai vus parce qu'une activité était programmée au mauvais moment ou sur la mauvaise scène !

Un bon exemple est certainement Mer et Monde – Québec 1984. La publicité était largement axée sur l' événement d' ouverture, c' est-à-dire le rassemblement des plus grands voiliers du monde dans le majestueux fleuve Saint-Laurent. On vendait des passeports de huit semaines pour *cet événement unique qui ne durait que la première semaine. Ajoutez à cela le vent de panique que les communicateurs ont créé à propos des foules qu' il faudrait contrôler. Les gens ne sont pas dupes : ils ne sont pas venus. Au grand dam des organisateurs, il n' y a jamais eu le débordement de foule tant attendu. Voilà une erreur de programmation et de communication à éviter.*

En résumé, la description du projet consiste à présenter le programme général, appuyé par un contenu descriptif approprié, et à camper le tout dans un calendrier des activités bien dosé.

Les décideurs apprécieront la description de votre projet non pas à sa longueur mais à son originalité, à sa qualité et à son rythme. Évitez d'être redondant et de perdre l'intérêt des interlocuteurs pour la suite de la présentation du projet.

3.4 La mise en marché

Démontrer la capacité de bien vendre le projet à son public cible fait partie intégrante de la présentation d'un événement. Il s'agit d'un élément décisif pour prouver la viabilité du projet aux décideurs.

À cette étape-ci, il ne s'agit pas de présenter un plan de marketing, mais de positionner la stratégie de vente de l'événement.

Disons simplement que toute la communication du projet repose sur un émetteur (le projet) qui désire passer son message à un récepteur (le public). La subtilité consiste à trouver le bon message, à choisir les bons outils et à orchestrer le tout dans un brillant scénario visant à atteindre la cible.

>> *En 1998, la compagnie nationale de transport en commun de Singapour célébrait son 25ᵉ anniversaire de fondation. Son slogan, bien en vue sur tous les autobus, était « Moving the Nation ». Il faut vivre dans ce pays plus petit que la ville de Montréal et plus jeune que moi, dirigé par un seul gouvernement, pour saisir à quel point ce slogan est révélateur d'une longue tradition nationaliste, bien ancrée dans la population, et donc tout à fait à propos pour la circonstance.* >>

• Le positionnement

Pour établir le positionnement de votre communication, établissez la liste des forces et des faiblesses de votre projet-émetteur. Il existe des outils de recherche fort utiles pour vous aider (sondage, groupe-discussion, résultats d'études, etc.). Vous aurez ainsi repéré les problématiques et les facteurs intrinsèques qui influeront sur la stratégie de vente de l'événement. En d'autres mots, vous aurez cerné les limites communicationnelles à l'intérieur desquelles vous devrez agir.

Une fois ces problématiques reconnues, vous serez en mesure de choisir et de positionner les axes de communication souhaitables pour faire passer votre message.

« *Quand la deuxième équipe de management a été mise en place pour les Célébrations du 350ᵉ anniversaire de la fondation de Montréal, les médias avaient largement critiqué le coût de ces célébrations et la crédibilité de son organisation. Les communicateurs ont vite fait de cerner la problématique et ont proposé un repositionnement : « Le message doit porter sur la fête et non sur les organisateurs de la fête. » Pour y arriver, les communicateurs ont fait* *preuve d'originalité et de ténacité lorsqu'ils ont alimenté les médias sur le contenu de la fête, malgré leurs critiques acerbes. Après des mois de travail acharné et, surtout, sans jamais perdre de vue leur stratégie, ils sont arrivés à changer le message et à obtenir enfin des critiques positives sur les festivités.* »

• *Les marchés cibles*

◆ ◆

Savoir à qui l'on s'adresse est un élément clé.

◆ ◆ ◆ ◆ ◆ ◆ ◆ ◆

Les marchés cibles (ou les catégories de public cible) sont habituellement multiples et doivent être traités par priorité (public primaire et secondaire / public interne et externe). Il est très utile de connaître leurs caractéristiques (données démographiques, économiques, etc.) et leurs dispositions pour le projet (connaissance, résistance, intérêt, etc.) pour mieux élaborer les stratégies permettant de les atteindre.

> *Au printemps 1998 à Tokyo, j'ai vécu le drame de la page blanche quand j'ai abordé l'écriture du premier chapitre de ce livre. J'ai éprouvé de la difficulté à cerner à qui je m'adressais et quel devait être le ton approprié. C'était pour moi une expérience nouvelle de dire des choses sans connaître la cible. Finalement, j'ai choisi de m'adresser à la clientèle de mes formations et conférences antérieures : des gestionnaires d'événements en action ou en devenir qui désirent apprendre, se perfectionner ou revoir leurs connaissances. Je connais bien le ton et l'intérêt de « mon discours » auprès d'eux. Depuis lors, quand j'écris, c'est à eux que je m'adresse.*

• *Les stratégies*

❖   ❖

Proposer une stratégie, c'est bien.
La respecter, c'est encore mieux !

❖   ❖   ❖   ❖   ❖   ❖   ❖   ❖

Les stratégies s'élaborent en fonction du positionnement défini et des marchés cibles désignés. Elles visent à corriger les faiblesses et à consolider les forces du projet. Elles orchestrent le message, c'est-à-dire qu'elles structurent par étapes ce que l'on veut dire, comment le dire, quand le dire et, surtout, à qui le dire. Soyez stratégique mais aussi tacticien. N'ayez pas peur d'adapter votre message en cours de route s'il le faut, mais restez maître de votre stratégie en tout temps.

Dans le monde de l'événement, vous serez nombreux à solliciter un même public. La compétition est parfois féroce. La place que vous occuperez jour après jour et la visibilité que vous saurez en tirer sont des éléments clés pour les bailleurs de fonds du projet. Le succès est encore une fois lié à la créativité du message et aux moyens inusités que vous choisirez pour le diffuser.

Les résultats de cet exercice de conception que propose ce chapitre seront en bout de ligne un grand appui pour alimenter les communicateurs. S'il n'a pas été fait, ils devront inventer, du mieux qu'ils le peuvent, les éléments du contenu du projet et les traduire en message.

TABLEAU 3.2

LA MISE EN MARCHÉ D'UN ÉVÉNEMENT : L'EXEMPLE DES CÉLÉBRATIONS DU 350ᴱ ANNIVERSAIRE DE MONTRÉAL – 1992

LE POSITIONNEMENT

Mise en situation

Jusqu'à maintenant, la Corporation des Fêtes est en position réactive plutôt que proactive. Elle a dû constamment se défendre contre les attaques des médias qui l'accusent de dépenser trop d'argent (masse salariale élevée, bureaux luxueux, etc.) sans livrer de résultats concrets (pas de programmation). Un sentiment d'inertie et une perception de paralysie ont été largement communiqués dans la population.

La Corporation a très peu de contrôle sur sa communication. Elle craint les journalistes et se retrouve dans un cul-de-sac : d'un côté, les demandes persistantes des médias pour les détails d'une programmation et, de l'autre côté, l'impossibilité pour la Corporation de livrer sa programmation avant plusieurs mois.

Les objectifs des célébrations

Rendre hommage à Montréal.

Renforcer le sentiment d'appartenance des Montréalais à l'égard de leur ville.

Susciter la créativité des Montréalais.

Accroître le tourisme et la présence de Montréal sur la scène internationale.

Les objectifs de la communication

Faire connaître l'événement.

Faire mieux connaître Montréal, son histoire, ses forces et ses caractéristiques.

Vendre les 150 jours des célébrations comme réellement différents et extraordinaires.

Faire connaître l'apport des partenaires de réalisation (activités associées).

Faire naître un sentiment de confiance à l'égard des célébrations.

LES MARCHÉS CIBLES

Les groupes cibles

• Les citoyens et les citoyennes de Montréal (individuels et corporatifs)
• Les touristes et les intervenants en milieu touristique
• Les médias
• Les partenaires (collaborateurs, commanditaires, groupes d'intérêt, etc.)
• Les employés de la Corporation des Fêtes

Les marchés géographiques

La ville de Montréal, le Québec, l'Ontario, le nord-est des États-Unis, l'Europe francophone

LES STRATÉGIES

Les objectifs généraux

Être en contrôle des communications de l'événement en tout temps.
- Renforcer la crédibilité de la Corporation.
- Obtenir la faveur de l'opinion publique.

Établir un momentum serré.
- Rendre accessible l'information pertinente.
- Inonder les médias avec l'information périphérique à la programmation.
- Annoncer la programmation officielle en cascade.
- Produire un programme d'information destiné aux journalistes étrangers.

Tirer profit des actions des partenaires de réalisation.
- S'associer à la promotion de leurs activités.
- Conclure des ententes promotionnelles avec les grands événements de Montréal.

Les axes de communication

« En 1992, à Montréal, on découvre et on fête 350 ans de forces vives. »

La ligne de force : stimuler la participation.

La toile de fond : être pertinent et réaliser les promesses.

La convergence : stimuler l'ensemble des acteurs (gouvernements/commanditaires/partenaires).

Source : Le 350e anniversaire de Montréal, plan de communication, le 13 mars 1991.

81

Ainsi se termine la première partie de la présentation du cadre de réalisation du projet qui définit les paramètres du contenu : l'orientation générale, la description du projet et la mise en marché. Abordons maintenant les paramètres du contenant : la structure organisationnelle, l'échéancier et le budget préliminaires.

3.5 La structure organisationnelle

De même qu'il fallait montrer sa capacité de vendre le projet, on doit démontrer sa capacité de mettre en œuvre le projet. Il s'agit d'un autre élément décisif pour prouver la viabilité du projet aux décideurs.

Aux fins de la présente démonstration, limitez-vous à proposer les grands choix structurels afin de ne pas alourdir la présentation par un plan de développement organisationnel qui viendra plus tard.

• *L'organisme responsable (ou l'entité juridique)*

Présentez l'entité juridique qui soutient le projet. Celle-ci peut être une organisation à but lucratif ou à but non lucratif, un partenariat, etc. L'entité qui chapeaute le projet peut donner à ce dernier énormément de crédibilité si elle est connue et reconnue (par exemple les événements parrainés par Centraide). Si tel est votre cas, profitez de cet atout important et mettez en évidence le nom et le logo de cet organisme dans votre présentation (page couverture).

Que l'organisme responsable du projet soit connu ou non, décrivez-le sommairement : année de fondation, statut juridique, liste des membres du conseil d'administration, expertise dans le domaine en question, etc.

Si l'organisme n'est pas encore choisi, ou s'il n'est pas encore créé, présentez les membres du comité organisateur provisoire (les promoteurs) en insistant sur les expertises complémentaires de ceux-ci.

« *Quand j' ai vu mon nom sur la liste des membres du comité provisoire du Symposium planétaire de la photographie en Minganie (côte nord du Québec), je me suis dit que cela ne dirait rien aux gens de la région. Mais mon titre, ajouté à la liste des professions complémentaires des autres membres du comité (conservateur, communicateur, agent de commandite, organisateur-conseil, etc.), démontrait le sérieux du groupe, même si certains de ses membres n' étaient pas connus localement.* »

Certains détails additionnels, trop volumineux pour être intégrés dans la présentation en cours, peuvent être présentés en annexe, tels que les CV des promoteurs (ou notes biographiques) et les états financiers de l'organisme mandaté.

En présentant l'organisme responsable ou le comité provisoire qui chapeaute le projet, vous présentez la tête dirigeante du projet et son cadre juridique en peu de mots.

• *L'organigramme*

L'organigramme démontre que l'on sait comment structurer le projet pour le mener à terme. Il illustre graphiquement sur une page toute l'organisation du projet et ses liens hiérarchiques (de haut en bas de la pyramide). Il présente aussi la répartition des responsabilités par fonction, un ajout de taille, comme on le verra au chapitre suivant.

Une telle démonstration ajoute beaucoup de crédibilité à votre capacité de réaliser le projet. Toutefois, soyez vigilant : pour l'analyste aguerri, l'organigramme illustre les forces et les faiblesses des promoteurs au-delà de leurs beaux discours !

> *L'Association culturelle chinoise de l'Institut Kai-Leung à Montréal organisait, en 1990, son deuxième Festival Confucius. L'organigramme du projet était présenté sous la* *forme de lanternes chinoises hiérarchisées et personnalisées (elles contenaient la photo de chacun des membres). Schémati-ser ainsi la structure organisationnelle était très révélateur de la couleur de l'événement. Comme quoi on peut être créatif même dans la présentation d'un outil de gestion.*

3.6 L'échéancier préliminaire

Il est passablement facile de savoir ce que l'on doit faire « demain » et « la semaine prochaine » pour faire avancer le projet. Il est plus difficile de planifier le travail six mois ou un an d'avance ! Pourtant, c'est le genre d'exercice utile qui fait partie du cadre de réalisation de l'événement. Avant de vous donner leur aval, les décideurs voudront voir dans quel bateau ils s'embarquent.

Ne perdez pas votre temps à répertorier les mille et une échéances opérationnelles qui n'intéressent personne, à part les organisateurs. Cherchez plutôt à établir un échéancier préliminaire qui soit stratégique. Dénombrez seulement les échéances qui auront un effet important sur l'avancement du projet. Ces échéances sont de deux ordres : une décision cruciale (date décisionnelle) qui doit être prise au bon moment ou une opération d'envergure (date charnière) qui doit être réalisé à un moment précis. Orchestrez ces échéances chronologiquement et vous aurez ainsi établi habilement l'échéancier préliminaire du projet.

TABLEAU 3.3

UN ÉCHÉANCIER PRÉLIMINAIRE : L'EXEMPLE DU DÉFILÉ DE LA SAINT-JEAN – 1990

Caractères gras : Les étapes jalons pour le conseil d'administration

Caractères légers : Les étapes jalons pour l'organisation du projet

21 mars :   **Confirmation du mandat du producteur-délégué par le Comité des fêtes nationales de la Saint-Jean**

29-31 mars : Séances d'idéation (remue-méninges)

1-6 avril : Scénarisation

3 avril :   **Présentation de l'orientation générale du défilé au conseil d'administration, pour validation**

Avril : Recherches et conceptions artistiques, choix des ressources et des fournisseurs, explorations techniques

7 avril : Présentation du concept du défilé en régie interne, et *feed-back* du groupe témoin

9 avril : Choix des applications thématiques et visuelles

18 avril : Dépôt des esquisses et des devis de production pour analyse

21 avril : Confirmation du concept du défilé et de ses applications en régie interne

25 avril :   **Présentation du concept du défilé et de ses applications au conseil d'administration, pour adoption**

26-27 avril : Présentation du concept du défilé et de ses applications aux commanditaires, pour approbation

Mai : Confirmation des ressources et des fournisseurs, mise en production du défilé, suivi budgétaire

8 juin :   **Présentation du projet du défilé et de ses réalisations thématiques au conseil d'administration, pour information**

Juin : Suivi de la production et mise au point finale

9 juin : Conférence de presse

10-22 juin : Répétitions en sous-groupes thématiques

23 juin : Répétition générale en grand groupe (simulation)

24 juin :   **Réalisation du défilé**

25 juin : Report du défilé en cas de pluie

30 juin : Fin de l'évaluation et remerciements

30 juillet :   **Dépôt du rapport d'activité et du bilan financier au conseil d'administration**

Source : *Document d'orientation générale sur le défilé de la fête nationale 1990*, version revue et corrigée du 6 avril 1990.

3.7 Le budget préliminaire

Nous voilà parvenus à ce que tout décideur veut savoir : Ça coûte combien et d'où vient l'argent ? À cette étape-ci, il s'agit souvent d'un budget de départ ou d'un budget préliminaire. Il peut être risqué de déposer un budget final avant d'avoir procédé aux études et aux analyses, car, une fois le budget déposé et adopté, vous devez vivre avec ce que vous avez établi.

Il est plus stratégique de présenter les revenus avant les dépenses et de montrer un excédent, si léger soit-il, pour ainsi démontrer la rentabilité financière du projet. On verra au chapitre 6 comment bâtir le budget en détail.

• *Les revenus*

Les revenus d'un événement proviennent généralement des mêmes sources : les subventions, les commandites, la commercialisation, la collecte de fonds.

Veillez à établir une projection de revenus réaliste et non optimiste, appuyée sur des expériences antérieures, des événements comparables ou des études de marché. La prudence en cette matière est de rigueur.

> *Toujours dans le contexte des Fêtes du 350ᵉ anniversaire de Montréal, on rencontra la direction des finances de la Ville pour présenter le budget révisé des célébrations. On avait inscrit 10 % au poste « Contingences et imprévus », ce qui représentait 4,5 millions de dollars pour un budget de 45 millions. « Messieurs, nous dit la directrice des finances, une telle somme est totalement disproportionnée lorsqu' on la compare à la réserve globale du budget de la Ville pour une année entière d' activité. »*

« Soit, lui répondis-je poliment, cela fait 350 ans que vous la gérez, mais c' est la première fois que nous la fêtons*. »
Dans les faits, le total des revenus s' est élevé à 42,1 millions de dollars et les dépenses à 41,2. Réduire le budget en supprimant dans la réserve pour « contingences et imprévus » n' aura fait de mal à personne. Pareille compression de dépenses dans des activités en cours de préparation serait vite devenue un drame public !

• *Les dépenses*

Encore une fois, il s'agit de présenter une projection réaliste des dépenses et sans faux-fuyant. Les grandes catégories de dépenses d'un événement sont généralement les suivantes : la direction générale, le financement, l'administration, la programmation, la logistique, la communication et autres frais (recherches, divers, contingences), comme nous le verrons en détail au chapitre 6.

Si pour des raisons de confidentialité vous ne jugez pas opportun de communiquer le budget à certains interlocuteurs, transposez vos chiffres en pourcentage (%) pour chaque source de revenus ou catégorie de dépenses. Le fait de présenter ainsi la répartition budgétaire donnera une bonne idée des priorités de votre budget, sans avoir à en dévoiler le contenu réel. Ne pas donner d'indications budgétaires dans la présentation du projet ne fait pas sérieux.

Ainsi se termine la présentation des éléments qui concernent le contenant du cadre de présentation d'un projet d'événement. Ces éléments du contenant et ceux du contenu présentés précédemment donneront aux décideurs une vue d'ensemble claire du projet auquel vous souhaitez qu'ils adhèrent. Il ne vous reste plus qu'à conclure la présentation sur une note positive et à ajouter les documents d'appui pertinents.

---

* En 1942, les fêtes du 300ᵉ anniversaire ont été à peu de choses près annulées à cause de la Seconde Guerre mondiale.

3.8 La conclusion

La conclusion du projet expose sommairement les résultats visés et les retombées escomptées à la fin de l'événement projeté. Parler des résultats du projet alors qu'il n'est pas encore réalisé peut sembler utopique. L'exercice de conception en cours vous aidera à imaginer ces résultats en termes qualitatifs ou quantitatifs.

• Les retombées

Ne vous perdez pas dans des études économiques complexes et coûteuses. Certes, elles peuvent être utiles auprès de certains décideurs politiques, mais plus utile encore est l'énumération des retombées culturelles, sociales, touristiques, environnementales, politiques ou autres du projet : le nombre d'activités, la participation du public, les emplois créés, le soutien aux créateurs locaux, etc.

Parler de l'argent que le public va débourser dans la région n'est plus suffisant de nos jours. Il faut ajouter les effets positifs et durables pour la communauté et pour son rayonnement à l'extérieur de ses frontières. L'augmentation de l'achalandage touristique demeure à coup sûr un atout précieux.

« *Ainsi, à l'occasion des Fêtes du 350ᵉ anniversaire de la fondation de Montréal, les projets d'infrastructure inscrits à la programmation totalisaient plus de 500 millions de dollars. De fait, le Biodôme, le Musée d'archéologie et d'histoire de Pointe-à-Callière, le Nouveau Musée d'art contemporain, le parc des Îles, le carré Berri, entre autres, sont des répercussions tangibles de ces célébrations qui profitent toujours à la population aujourd'hui. Ces retombées durables pour la population ont largement facilité la tâche du comité organisateur pour convaincre les gouvernements* *fédéral et provincial de soutenir les activités ponctuelles en injectant 20 millions de dollars additionnels pour réaliser, entre autres, le défilé carnavalesque, la nuit de Montréal, le spectacle son et lumière, le grand jeu de nuit et les fêtes du quartier.*

3.9 Les documents d'appui

Toute la présentation du projet de l'événement, telle que nous venons de la définir, peut être contenue dans 15 ou 20 pages. Bien sûr, cela n'est pas une norme, mais un ordre de grandeur pour faire comprendre qu'il ne s'agit pas d'un document volumineux. Le projet ne sera pas jugé à l'épaisseur du document. Au contraire, « une brique » décourage souvent ceux qui ont à en faire la lecture.

Par ailleurs, si certains documents d'appui peuvent être utiles pour une meilleure compréhension, ils doivent être annexés à la présentation afin de ne pas alourdir celle-ci. Ainsi, les décideurs pourront les consulter s'ils le désirent. Ces documents qui ajoutent une plus-value sont, entre autres, les CV des promoteurs, les lettres d'appui, les études, la revue de presse, etc.

• *Les CV des promoteurs*

Les curriculum vitæ (CV) ou notes biographiques sont très utiles pour que les décideurs voient à qui ils ont affaire et quelles sont les aptitudes des promoteurs pour mener à terme le projet.

Il est souvent nécessaire d'harmoniser le format des CV de chacun afin d'en faciliter la lecture. Si l'ordre hiérarchique des promoteurs n'est pas clairement défini, comme c'est souvent le cas d'un comité provisoire, il est préférable de les présenter par ordre alphabétique pour respecter la sensibilité de chacun.

TABLEAU 3.4

UN EXEMPLE DE NOTE BIOGRAPHIQUE

Guy Laliberté, président-fondateur du Cirque du Soleil. Guy Laliberté est né à Québec en 1959. Accordéoniste, échassier et cracheur de feu, il fonde, avec le soutien d'un noyau de complices, le premier cirque québécois de réputation internationale. Visionnaire audacieux, il sait reconnaître et cultiver le talent des amuseurs publics de la Fête foraine de Baie-Saint-Paul pour créer, en 1984, le désormais célèbre Cirque du Soleil. Artiste polyvalent, Guy Laliberté plonge rapidement dans le monde des affaires pour soutenir et planifier la croissance de cette jeune entreprise. Malgré l'inexpérience du groupe, il mise sur l'originalité et l'audace de la jeunesse pour convaincre les institutions financières de participer au projet. Il met également sur pied un réseau de partenaires autour du monde pour permettre au Cirque du Soleil de rayonner à l'étranger. Entrepreneur de grand talent, Guy Laliberté guide ses collaborateurs dans les méandres du milieu du spectacle pour que cette troupe d'amuseurs publics devienne une entreprise culturelle dont les productions sont acclamées aux quatre coins du monde. À l'aide d'une équipe jeune et dynamique et grâce à ses talents de rassembleur, Guy Laliberté a fait du Cirque du Soleil un joyau du monde culturel québécois. Il reçoit, en 1997, la plus haute distinction décernée par le gouvernement du Québec, soit l'Ordre national du Québec.

• *Les lettres d'appui*

Les lettres d'appui ou de félicitations sont importantes selon la renommée des signataires. Une personne ou un organisme crédible et reconnu dans le milieu qui appuie le projet représente un atout. Concentrez vos efforts pour obtenir des appuis de haut niveau et évitez de courir après n'importe qui. La qualité des signataires aura beaucoup plus d'effet que le nombre de lettres.

• *Les études*

Les études de faisabilité ont pour but de démontrer la faisabilité technique ou financière du projet ou la réceptivité du public visé. Il s'agit, en fait, de valider les parties du projet où l'expertise ou l'expérience font défaut.

Il est souvent nécessaire d'explorer certains aspects méconnus du projet, même s'il est parfois difficile d'entreprendre de telles études, faute de moyens financiers. Un minimum de recherche doit être fait, malgré tout, avec les ressources dont vous disposez pour rendre valide le projet.

> *La première visite du Cirque du Soleil sera un événement important des Fêtes de l' an 2000 à Singapour. Pour cette occasion unique, le gouvernement a exceptionnellement autorisé le Cirque à monter son chapiteau en plein centre-ville, sur les lieux du Padang, un lieu consacré aux joutes officielles de cricket et aux grands rassemblements nationaux depuis plus de 100 ans.*
>
> *Une étude de la clientèle (groupe de discussion) a été commandée, car le Cirque voulait savoir comment réagirait la population locale (acheteur potentiel de billets du spectacle) à la perte de l' usage de ce lieu public durant des mois au profit d' un événement étranger. La réponse a été favorable, mais conditionnelle à une impeccable remise en état, ce qui correspondait aux exigences fixées par le gouvernement pour l' utilisation de ce site historique. C' est donc avec une plus grande assurance que le Cirque y présentera son spectacle Saltimbanco.*

• *La revue de presse*

La revue de presse, si elle existe, apporte un coup d'œil extérieur et critique sur le projet. Elle regroupe la couverture médiatique de l'événement (imprimé, audio, vidéo) qui doit être classée et codée. Si elle est trop volumineuse, un choix d'articles percutants sera suffisant (un beau problème !). Dans le cas d'un nouvel événement, il n'existe manifestement pas de revue de presse. On peut alors ajouter certains articles ou documents sur des événements comparables ailleurs dans le monde.

En 1993, de jeunes promoteurs très dynamiques souhaitaient créer un nouvel événement d'envergure à Montréal : le Mondial de la bière. Pour avoir été souvent en contact avec les autorités policières de la ville, je considérais que les promoteurs obtiendraient difficilement leur permis d'exploitation avec un thème comme la bière. Par la présentation d'événements comparables dans le monde, les promoteurs ont su démontrer aux autorités que leur projet ne serait pas une beuverie, mais une dégustation. Le Mondial de la bière s'est internationalisé rapidement et est devenu en quelques années un événement important de la métropole, apprécié du public. Leur slogan de départ, « Venez boire le monde », était fort invitant.

• *Les plans*

Il est souvent utile de soutenir la présentation du projet par des plans visuels appropriés tels que : plan de site, plan de salle, scénographie, plans de la ville, etc. Cela ajoute du visuel pour dynamiser la présentation du projet.

En terminant, mentionnons que les documents d'appui ne sont pas indispensables à la présentation du cadre de réalisation d'un événement. Leur apport fortifie ou éclaire certains aspects de la présentation pour le bénéfice des intéressés. Parfois, on peut simplement signifier que ces documents sont accessibles sur demande pour éviter d'en multiplier inutilement les exemplaires.

3.10 Une démarche de conception

Au terme de cette démarche de conception, on aura répondu clairement, et surtout globalement, à la question : C'est quoi le projet ? Le guide proposé dans ce chapitre pour la formulation et la présentation du projet de votre événement vous entraînera vers cette démonstration.

Le chapitre 2, qui traitait du sens du projet, a servi d'entrée en matière et a fourni tous les ingrédients de base pour alimenter la démarche de conception que l'on vient de présenter. À l'étape précédente, je vous suggérais de limiter le groupe de discussion à ceux qui ont la foi. À cette étape-ci, je vous invite à étendre ce groupe au besoin pour vous assurer de la représentativité et de la complémentarité des fonctions de base du projet : la programmation, la logistique, la communication, l'administration et le financement. Si l'on n'a pas d'autre choix, c'est également le temps d'intégrer les moutons noirs pour tenter de les faire adhérer au projet en suscitant leur participation active et créative.

Vous aurez à réunir le groupe à quelques reprises et à animer une véritable démarche conceptuelle pour discuter du projet à réaliser (le contenu) et des moyens requis pour y arriver (le contenant). Entre chaque réunion, vous devez prendre soin de faire une synthèse des idées exprimées. Il est idéal de tenir ces réunions animées et dirigées à l'intérieur d'une période limitée (un ou deux mois) afin de ne pas perdre le fil conducteur ni l'intérêt des participants. Évitez les « discussions circulaires » sur les détails techniques.

Cet exercice permet de débattre des vrais enjeux du projet. Des choix éclairés sur les éléments décisifs du projet pourront se faire dans un climat d'échange favorable, sans la pression de l'événement qui est encore éloigné dans le temps.

À la fin de cette démarche, le cadre de réalisation du projet aura été rédigé. Il ne restera plus qu'à le présenter aux décideurs pour obtenir le « OUI » tant désiré, et à le diffuser par la suite avec parcimonie aux proches collaborateurs. Il ne s'agit pas d'un document ayant des visées de marketing comme telles ; cependant, il sera très utile pour orienter la planification à venir des stratèges en communication.

Si dans les mois qui suivent, au hasard des difficultés de parcours, la discussion devient plus embrouillée, n'hésitez pas à revenir sur ce projet initial. L'exercice de conception proposé est beaucoup plus que l'écriture d'un document de présentation ; il est une source de référence utile tout au long de la réalisation du projet.

Q U I   ?

Mettre en place
une organisation responsable

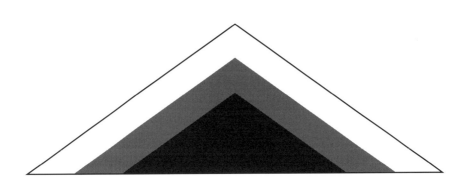

Concevoir la structure organisationnelle d'un événement exige la même ardeur et autant de rigueur que pour concevoir le projet. Il revient à chaque dirigeant de mettre en place une organisation responsable où chacun de ses membres peut exprimer son talent.

Partons du principe que tout gestionnaire, pour assumer ses responsabilités, doit savoir de quoi il est responsable ! Évident, me direz-vous. Alors, comment se fait-il que dans nos organisations on trouve tant de zones grises ou de dédoublement entre les fonctions, ce qui sème confusion et tension chez les titulaires ?

Pour bâtir une organisation responsable, il est primordial de ne pas confondre la responsabilité et les tâches qui en découlent. La nuance entre ces notions complémentaires est importante.

- **La responsabilité** est l'obligation de remplir un engagement et d'en être garant. Elle est déléguée à un gestionnaire par une autorité supérieure à laquelle il n'a pas à se reporter systématiquement pour prendre une décision, mais à qui il doit répondre de ses actes.

- **La tâche** est une activité à exécuter dans un temps limité ; c'est un travail à accomplir.

◆ ◆

Un gestionnaire responsable est garant de ses propres actions
et de celles de ses subalternes.
Les responsabilités qui lui sont confiées comprennent une série
de tâches qu'il devra superviser et réaliser avec son équipe.
Il a la capacité de prendre une décision, mais il a aussi l'obligation
de rendre des comptes à une autorité supérieure.
Si, en cours de route, il a besoin d'aide ou s'il se perd
en conjectures, l'autorité supérieure de qui il relève
est là pour l'orienter.

◆ ◆ ◆ ◆ ◆ ◆ ◆ ◆

Si, en tant que dirigeant, vous êtes enchanté par ce concept d'un gestionnaire responsable, ce chapitre saura vous plaire. Il propose une approche et des outils pratiques pour mettre en place une structure organisationnelle qui permet à chaque gestionnaire d'agir efficacement dans le champ des responsabilités qui lui sont déléguées. Ces outils sont l'organigramme, la charte des responsabilités, les centres de gestion ainsi que certains instruments de soutien à la gestion.

4.1 L'organigramme

Un organigramme est la représentation schématique des diverses fonctions d'une organisation et de leurs liens hiérarchiques.

La première étape pour bâtir un organigramme consiste à définir les fonctions nécessaires à la réalisation du projet. On entend par cela la répartition des charges de travail pour mener le projet à terme. Il n'y a pas de modèle unique, mais il y a une référence de base quant aux fonctions minimales que l'on doit y trouver.

4.1.1 Les fonctions de base

L'ensemble des fonctions de base ou charges de travail déterminent ce que l'on appelle communément en management la structure fonctionnelle de l'organisation. Cet exercice est assez facile à réaliser, parce que, peu importe le projet, le modèle demeure le même à quelques nuances près.

• *Les fonctions de base d'un projet*

On trouve habituellement dans l'organisation d'un projet, qu'il soit événementiel ou non, sept grandes fonctions de base interreliées telles que les présente le tableau 4.1.

TABLEAU 4.1

LES FONCTIONS DE BASE DE L'ORGANISATION D'UN PROJET

Ce schéma présente à sa plus simple expression l'organisation d'un projet, peu importe sa nature. Ce sont les fonctions minimales nécessaires pour que tout projet soit réalisé et atteigne la clientèle visée.

• *Les fonctions de base d'un projet d'événement*

Peu importe le jargon utilisé, ces sept fonctions de base se retrouveront également dans la structure fonctionnelle d'un événement, quel qu'il soit. Le tableau 4.2 permet de voir globalement l'organisation d'un événement.

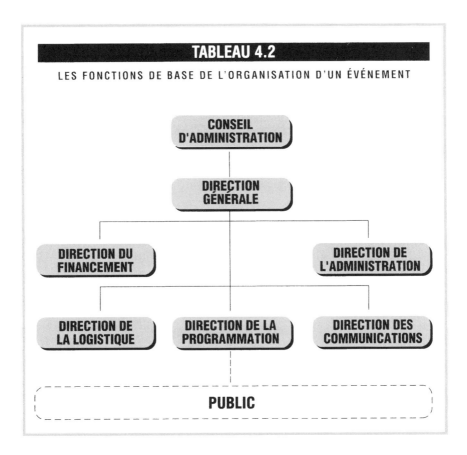

TABLEAU 4.2

LES FONCTIONS DE BASE DE L'ORGANISATION D'UN ÉVÉNEMENT

La programmation des activités (produit) doit forcément être soutenue logistiquement (soutien) et communiquée à son public (vente). Bien sûr, ces activités ne peuvent être réalisées sans le financement requis (revenu) et une saine gestion administrative (dépense). L'ensemble doit être dirigé par une direction générale (direction) qui reçoit ses directives du conseil d'administration (décision).

Cette première étape terminée aura permis de préciser comment va fonctionner l'organisation du projet. L'étape qui suit consiste à déterminer qui va diriger ces équipes de travail.

4.1.2 Les niveaux hiérarchiques

À cette étape, on doit déterminer les niveaux hiérarchiques entre chacune des fonctions de base répertoriées. C'est la deuxième étape à franchir pour bâtir votre organigramme.

Fixer les niveaux hiérarchiques, c'est décider de l'ordre de subordination des pouvoirs rattachés aux fonctions de base. Il s'agit de tracer la ligne de pouvoir de haut en bas de la pyramide organisationnelle. Le tableau 4.3 montre les trois grands niveaux hiérarchiques du pouvoir.

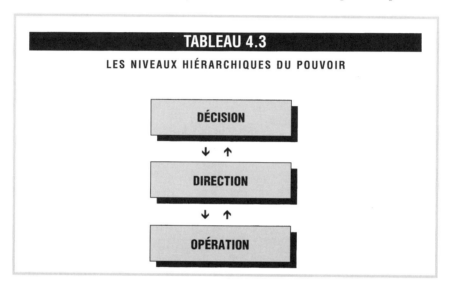

TABLEAU 4.3

LES NIVEAUX HIÉRARCHIQUES DU POUVOIR

DÉCISION

↓ ↑

DIRECTION

↓ ↑

OPÉRATION

Pour que nous distinguions bien ces différents ordres de pouvoir dans nos organisations, il est souvent nécessaire de préciser le statut professionnel attaché à chacune des fonctions (cadre, professionnel, technicien, etc.). Or, il n'est pas de pratique courante de déterminer les statuts professionnels dans les organisations événementielles. On l'a dit, l'absence de formation spécialisée dans le domaine des événements a obligé le métier à se développer sur le tas, sans normes reconnues. Toutefois, voyons dans le tableau 4.4 les statuts professionnels couramment en usage.

TABLEAU 4.4

LES STATUTS PROFESSIONNELS COURAMMENT EN USAGE

1. Le cadre supérieur

Membre de la haute direction, investi d'une autorité qui dépend directement du conseil d'administration ou du président et dont les fonctions consistent principalement à orienter, à planifier et à diriger les politiques et les programmes d'activités.

Ex. : Directeur général.

2. Le cadre intermédiaire

Membre du personnel de gestion qui assiste un cadre supérieur et dont les fonctions consistent principalement à organiser, à coordonner et à administrer les politiques et les programmes d'activités.

Ex. : Directeur technique, directeur des communications.

3. Le cadre

Membre du personnel de gestion qui assiste le cadre intermédiaire et dont les fonctions consistent à gérer le personnel d'exécution dans les actions quotidiennes.

Ex. : Chef d'atelier, chef des relations publiques.

4. Le professionnel

Membre d'une équipe de travail dont la tâche exige des connaissances avancées dans un champ spécifique d'activité, lesquelles sont acquises grâce à une formation générale ou à un apprentissage prolongé.

Ex. : Éclairagiste, attaché de presse.

5. Le technicien

Membre d'une équipe de travail dont la tâche exige une grande habileté dans l'usage d'outils ou d'instruments spécialisés, laquelle est acquise par une formation technique appropriée ou un apprentissage adéquat.

Ex. : Technicien de scène, agent de communication.

6. Le personnel de bureau

Travailleur qui exécute des tâches administratives au service de l'organisation.

Ex. : Commissionnaire, secrétaire, agent de bureau.

Adaptation libre, sources :
- *Dictionnaire des relations de travail*
- *Classification nationale des professions*
- Office de la langue française

Ces distinctions de rôles et de statuts peuvent sembler superflues à l'organisateur d'un petit événement local. Sachez que si, un jour, votre événement prend de l'expansion, vous devrez passer par là. Dans cette grande famille qu'est l'organisation d'un événement, la répartition des statuts professionnels permet d'établir clairement les rôles et les pouvoirs de chacun de ses membres pour une plus grande cohésion de l'équipe. La juste répartition de ces rapports de force dans l'organisation fait souvent la différence entre une structure organisationnelle équilibrée ou boiteuse.

En 1993, de retour au Cirque du Soleil après plusieurs mois d'absence, je me retrouve un bon matin à animer le CODI (comité des directeurs), qui regroupe les dirigeants de la compagnie. La réceptionniste me dit gentiment : « Monsieur Renaud, voulez-vous un micro pour animer votre rencontre ? »

Surpris de me faire interpeller ainsi au Cirque et encore plus surpris de me faire proposer un micro, je refuse. Mais la réunion rassemble plus d'une quarantaine de personnes dans *un studio de répétition grand comme un gymnase. Je suis perdu devant toutes ces nouvelles figures, j'aurais dû accepter le micro !*

Je suis très étonné de voir tout ce méli-mélo de travailleurs : un vice-président, un directeur de production, un vieux de la vieille, un nouveau contractuel, des francophones, des anglophones. Beaucoup parmi les gens présents ne se rendent pas vraiment compte qu'ils font partie de l'équipe des dirigeants de l'entreprise.

La réunion terminée, je fais part aux présidents du Cirque de mon état de choc. «D'abord, ils sont trop nombreux, et puis ils sont trop disparates. L'organisation ne sait pas clairement qui sont ses dirigeants. Gérer l'entreprise à 40 aujourd'hui, cela voudra dire combien dans quelques années ?» C'est ainsi que l'on a entrepris une profonde restructuration de toute l'entreprise qui comptait à l'époque près de 500 employés. La répartition des statuts professionnels n'a pas été chose facile, mais elle a porté des fruits, car, depuis, l'entreprise s'est ramifiée, décentralisée et fortifiée pour en arriver à diriger, aujourd'hui, près de 2000 employés avec une équipe d'une quinzaine de cadres supérieurs.

L'organigramme présente schématiquement l'ensemble des fonctions nécessaires à la réalisation du projet et leurs interrelations. Mais cela n'est pas suffisant pour mettre en place une organisation responsable. Il est judicieux de pousser plus loin cet exercice structurel en ajoutant un autre élément : le partage des responsabilités.

4.2 La charte des responsabilités

Compléter l'organigramme de son événement par le partage des responsabilités, c'est déterminer qui est responsable de quoi. Ajouter cette dimension à l'organigramme — qu'on appellera librement la charte des responsabilités — en fait un outil de gestion extraordinaire.

L'exercice consiste à rattacher à chacune des fonctions du projet les responsabilités correspondantes. Il va de soi que les responsabilités ainsi regroupées sous un même gestionnaire sont de même nature. L'enjeu est d'assigner un seul responsable par responsabilité. Par ailleurs, on le verra plus loin, plusieurs ressources et décideurs peuvent être reliés à une même responsabilité.

Il est très utile, quoique laborieux, de faire un tel exercice dans une organisation, que celle-ci soit en place ou non. Cela exige de poser beaucoup de questions et de provoquer souvent des remises en question : « Oui, je suis responsable, mais je travaille très étroitement avec un tel » ou « Non, ce n'est pas moi le responsable, car ce n'est pas moi qui décide ». Malgré ce genre de commentaires, l'exercice n'est valable que dans la mesure où l'on réussit à désigner finalement un seul responsable par responsabilité.

Le partage des responsabilités confirme à chaque gestionnaire ce qu'il doit faire mais ne lui dicte pas comment le faire. Il ne s'agit pas ici de procéder à ces traditionnelles descriptions de tâches que l'on se donne un mal fou à définir pour justifier une fonction et qui nous font souvent perdre de vue l'essentiel.

Établir la charte des responsabilités complète l'organigramme que je vous encourage à bâtir pour répondre aux besoins réels du projet. Trop souvent on l'adapte aux gens déjà en place pour des raisons historiques ou aux nouveaux venus pour les attirer.

L'organigramme du tableau 4.5 positionne les principales responsabilités attachées aux instances décisionnelles d'une organisation à but non lucratif, puis celles que l'on trouve habituellement dans les directions opérationnelles d'un événement.

TABLEAU 4.5

L'ORGANIGRAMME TYPE D'UN ÉVÉNEMENT
(À BUT NON LUCRATIF)*

ASSEMBLÉE GÉNÉRALE
- Élection des administrateurs
- Nomination des vérificateurs
- Dépôt du bilan et des états financiers
- Ratification des statuts,
  règlements et résolutions

CONSEIL D'ADMINISTRATION
- Adoption des orientations
- Approbation des programmes
- Adoption des prévisions budgétaires
  et des états financiers
- Modification des statuts et règlements
- Relations d'affaires

COMITÉ EXÉCUTIF
- Suivi des orientations et des programmes
- Suivi des prévisions budgétaires

DIRECTION GÉNÉRALE
- Recommandation des orientations
- Planification stratégique
- Développement organisationnel
- Mise en place des opérations
- Analyse des priorités et suivi
- Soutien à la gestion
- Communication interne
- Relations d'affaires

DIRECTION DU FINANCEMENT
- Stratégie de financement
- Financement public
- Financement privé
- Commercialisation
- Autres sources de revenus
- Recherche, négociation et suivi

DIRECTION DE L'ADMINISTRATION
- Prévisions et contrôle budgétaires
- Comptabilité
- Gestion des ressources
- Approvisionnements
- Immobilisations
- Contentieux
- Assurances
- Technologie de l'information

DIRECTION DE LA LOGISTIQUE
- Planification logistique
- Aménagement
- Accueil du plublic
- Santé-sécurité
- Transport
- Hébergement
- Restauration
- Télécommunication

DIRECTION DE LA PROGRAMMATION
- Conception artistique
- Programme d'activités
- Encadrement du talent
- Régie des activités
- Son
- Éclairage
- Décor
- Accessoires

DIRECTION DES COMMUNICATIONS
- Stratégie marketing
- Promotion-publicité
- Relations publiques
- Relations de presse
- Protocole
- Pavoisement
- Signalisation
- Archivage visuel

* Schéma adaptable à une entreprise à but lucratif en modifiant les instances décisionnelles selon la structure juridique. Les directions opérationnelles demeurent habituellement les mêmes.

4.2.1 Les instances décisionnelles

On trouve généralement trois grandes instances décisionnelles dans un organisme à but non lucratif : l'assemblée générale, le conseil d'administration et le comité exécutif. Dans le cas d'une entreprise à but lucratif, la première instance qu'est l'assemblée générale annuelle des membres est remplacée par l'assemblée des actionnaires.

• *L'assemblée générale annuelle (AGA)*

L'assemblée générale annuelle des membres est obligatoire. Elle sert essentiellement à élire les administrateurs du conseil d'administration (CA), et à nommer le vérificateur pour le prochain exercice. Elle reçoit le bilan, les états financiers annuels et, le cas échéant, le rapport du vérificateur. Elle ratifie les règlements et les résolutions de la société, les actes des administrateurs ainsi que la cotisation des membres, s'il y a lieu. L'assemblée générale annuelle peut être un moment privilégié pour consulter les membres sur les orientations de la société ou du projet (vision, mission, valeur).

Le recrutement et la forme d'adhésion des membres peuvent varier énormément. Par exemple, Vélo-Québec, groupe de pression pour la promotion de la pratique du vélo, regroupe des milliers de membres qui paient une cotisation annuelle. Par ailleurs, il existe des organismes dont les membres de l'AGA sont également les administrateurs du CA. En tels cas, convoquer l'assemblée générale équivaut à convoquer le CA. Quoique cette pratique ne soit pas illégale, elle est en contradiction avec l'esprit de la loi qui est de faire rapport à une assemblée générale distincte pour mieux protéger les intérêts de la société.

• *Le conseil d'administration (CA)*

Le conseil d'administration est l'autorité supérieure de l'organisation au sens de la loi. Le Code civil du Québec (articles 309, 312, 321) parle d'une personne morale qui a ses propres pouvoirs et responsabilités. Le conseil est dépositaire de la charte et des statuts et règlements de la société et peut faire des modifications si nécessaire (sous réserve de ratification par le gouvernement ou les membres de l'assemblée générale selon sa constitution).

Le conseil est composé d'au moins trois administrateurs nommés par l'assemblée générale pour un temps limité. Ces administrateurs ont généralement des expertises complémentaires. Ils sont représentatifs de leur milieu et (si vous êtes chanceux) disponibles. Leurs rôles stratégiques se limitent principalement à adopter les orientations du projet, les prévisions budgétaires et les états financiers, puis à soumettre ceux-ci annuellement à l'assemblée générale des membres. Ils sont garants de la vision, de la mission et des valeurs de la société et de ses projets. Ils se préoccupent davantage du long terme que du court terme. Ils sont aussi appelés fréquemment à agir publiquement, compte tenu de leur crédibilité dans la communauté et de leur réseau de contacts. Le président de la société en est souvent le porte-parole officiel. Tous adhèrent au projet et s'engagent, en général, bénévolement.

Dans une organisation à but non lucratif, retirer des profits individuels n'est pas permis et le conseil d'administration constitue la caution morale. Les gouvernements accordent à ces organisations le rare privilège d'être exemptes d'impôt, parce qu'elles ont un devoir moral de contribuer au mieux-être de la communauté en général.

• *Le comité exécutif (CE)*

Les membres du comité exécutif sont issus et nommés par le conseil d'administration, et le président en fait partie d'office. Peu nombreux (nombre impair), ils assurent le suivi de l'application des orientations et le suivi budgétaire. Ils n'ont pas de pouvoir décisionnel, en théorie, mais dans les faits, ils ont un très grand pouvoir de recommandation au CA, qui leur délègue parfois un certain pouvoir de décision sur le fonctionnement du projet.

Pour encourager les administrateurs du CA à jouer un rôle actif dans le projet, et si leur disponibilité le permet, il est souhaitable d'éviter la présence d'un comité exécutif. Agir ainsi rapproche l'organisation de sa tête dirigeante. Dans ce cas, il revient à la direction générale d'assurer le suivi des orientations et du budget sous la supervision directe du CA. Par ailleurs, la présence d'un CE peut devenir impérative si l'envergure du projet l'exige.

4.2.2 Les directions opérationnelles

La nuance des rôles et les distinctions des responsabilités entre chacune des instances décisionnelles étant bien comprises, abordons maintenant le même exercice entre les différentes directions opérationnelles qui composent habituellement une organisation événementielle.

• *La direction générale (DG)*

Nommé par le conseil d'administration, le directeur général est un véritable complice des administrateurs dans l'accomplissement de la mission. Le choix de ce cadre supérieur est capital et repose non seulement sur son bagage d'expérience dans le domaine du projet, mais aussi sur ses compétences en gestion, sur ses aptitudes pour le travail en équipe et sur son dynamisme entrepreneurial.

Personne-ressource auprès des autorités décisionnelles (AGA/CA/CE), le directeur général leur recommande les orientations du projet et ses principales applications, ainsi que les prévisions budgétaires. Il assume, entre autres, les lourdes responsabilités de la planification stratégique et du développement organisationnel du projet ainsi que l'implantation des opérations dans l'organisation.

En constante liaison avec tout l'environnement du projet, ce cadre supérieur est à la fois stratège, entrepreneur, négociateur, communicateur et passionné. Le directeur général est le pivot central de toute l'organisation, « l'âme dirigeante », comme on dit souvent. Il est un leader et un formateur qui sait diriger le projet en mettant à profit les talents de son équipe de direction, qu'il a choisie avec discernement. En concertation avec elle, il sait établir les priorités du projet et offrir aux gestionnaires le soutien nécessaire au respect de ces priorités. Il se préoccupe également de la communication interne, car il en connaît l'importance.

Le directeur général est appelé fréquemment à représenter l'organisation ou à présenter le projet dans des activités publiques ou auprès d'autorités diverses, ce qui fait souvent de lui un porte-parole complémentaire au président.

Il est toujours de la fête, mais demeure le patron même en pleines réjouissances. Il ne perd jamais la face, comme disent mes amis chinois !

• *La direction du financement*

On retrouve souvent cette fonction de financement intégrée sous une autre direction (direction générale ou des communications, voire de l'administration). Or, le financement du projet est une responsabilité en soi qui requiert beaucoup de temps et de plus en plus d'expertise. Il est rentable de créer une entité autonome pour gérer le financement du projet.

La direction du financement regroupe une petite équipe de bons vendeurs, qui fait parfois appel à des spécialistes externes. Elle est responsable de trouver le financement public ou privé et de mettre en œuvre la commercialisation du projet. Au départ, elle établit une stratégie de financement du projet qui intègre toute forme de revenus. Une fois la stratégie adoptée, l'équipe du financement a la charge d'effectuer les recherches, d'établir les contacts et de négocier les ententes avec les éventuels bailleurs de fonds. Quand les ententes sont signées, elle en assure un suivi serré pour le bénéfice des deux parties.

• *La direction de l'administration*

Tout projet a sa direction de l'administration ou, à tout le moins, son comptable. Cette direction est d'abord responsable de mettre en place une saine gestion financière (politique et procédés administratifs). Au-delà des prévisions et du contrôle budgétaires, la direction de l'administration s'occupe de toute la comptabilité du projet. Elle gère aussi administrativement (et non opérationnellement) les ressources humaines : la rémunération, les politiques des ressources humaines et les conditions de travail.

On confie souvent à cette direction les approvisionnements pour tout le bureau : les fournitures, l'équipement, etc. Par tradition, elle prend habituellement en charge les technologies de l'information : l'informatique, la téléphonie, etc. À défaut d'un conseiller juridique à l'interne, on soumet au directeur de l'administration toutes les questions juridiques (contentieux) et il entretient les liens avec les firmes d'avocats, au besoin. Finalement, les assurances, un dossier dont personne ne veut s'occuper mais qui concerne tout le monde, sont sous sa responsabilité.

Les membres de cette direction doivent faire face à un milieu de travail qui considère souvent que toute intervention administrative va à l'encontre de leur créativité ! Cette recherche d'équilibre entre un contrôle nécessaire et une liberté créative engendre un stress incroyable chez les comptables, qui sont souvent les premiers à quitter la barque. Cela est bien dommage, car ils sont indispensables.

• *La direction de la logistique*

Il est toujours quelque peu difficile d'établir le partage des responsabilités entre la technique et la logistique d'un événement. La démarcation entre les deux n'est pas étanche et souvent est source de conflit. Disons pour simplifier que tout ce qui est « en bas de la scène » est de la logistique et que tout ce qui est « sur la scène » est de la technique. En d'autres mots, tout ce qui a trait au public relève de la logistique et tout ce qui concerne le spectacle (ou l'exposition, la compétition, etc.) dépend de la technique. Les nuances entre ces services sont parfois ténues.

L'aménagement du lieu est la responsabilité de cette direction (dans le cas d'un événement d'envergure comme le Festival international de Jazz de Montréal, l'aménagement peut faire l'objet d'une direction autonome). Les installations doivent d'abord répondre aux besoins des activités, puis respecter les contraintes budgétaires et techniques. De plus, l'événement et ses installations doivent se conformer à toutes les réglementations (code du bâtiment, incendie, police, hygiène, environnement, etc.). Un exploit à réaliser chaque fois !

L'accueil du public est une responsabilité importante sous cette direction qui doit mettre en place les services de santé et de sécurité conformément aux règlements en vigueur dans la communauté d'accueil. Toute foule appréciera davantage l'événement si elle se sent en sûreté sans être trop encadrée.

Le Festival international de Jazz de Montréal tout comme le Festival Juste pour rire, qui accueillent des foules records chaque année au centre-ville de Montréal, dans des endroits somme toute exigus, en sont de bons exemples.

Cette direction de soutien à l'événement est également responsable des services de transport, d'hébergement et de restauration pour le bénéfice du public ou des membres de l'organisation. Ce sont de lourdes responsabilités, car si la réponse à ces besoins primaires n'est pas fournie à la satisfaction des usagers, cela provoque un mécontentement général lourd de conséquences.

La télécommunication termine la liste des responsabilités de cette direction. Planifier qui doit parler à qui et comment : radio, télé-avertisseur, télécopieur, téléphone cellulaire, téléphone, en personne, etc. C'est souvent à cause de la faiblesse des liens de communication entre les personnes clés de l'organisation que l'on perd une certaine qualité de l'événement (ou, pire, le contrôle) qui se déroule. On a tous vécu l'expérience du nouveau bénévole à qui l'on a oublié de donner les directives d'usage pour utiliser intelligemment une radio de type *walkie-talkie* et qui monopolise les ondes sans bon sens ! Établir les liens de communication adéquats signifie aussi qu'il faut éviter de créer des liens inutiles entre les personnes qui n'ont pas à se parler, et ce, pour ne pas congestionner les réseaux inutilement.

La direction de la logistique offre un soutien indispensable à l'événement au même titre que la programmation, mais son rôle est tellement moins visible et gratifiant.

• *La direction de la programmation*

Il s'agit du cœur de l'événement. La direction de la programmation est responsable de la conception et de la réalisation des activités au programme. Sa responsabilité s'étend jusqu'à l'encadrement du talent rattaché à ces activités. Les membres de cette direction étant eux-mêmes quelque peu artistes, ils sont les mieux formés pour prendre soin des vedettes et de leur ego. Attention, bien souvent, il y a plus de vedettes autour de la scène que sur la scène !

Le son, l'éclairage, les décors et les accessoires sont des éléments qui complètent la présence de l'artiste ou de l'athlète sur scène. Aborder ces éléments sous un angle trop technique diminue la qualité artistique du spectacle. Selon l'ampleur de l'événement, l'équipe de la programmation, assistée de bons techniciens, peut prendre en charge ces aspects techniques ; sinon, une direction technique autonome sera mise en place (son, éclairage, scéno, décors, régie).

Toutes les directions sont au service de la programmation qui fait l'événement, mais la direction de la programmation doit répondre aux exigences de toutes les autres directions. Tout est question d'équilibre entre l'originalité du produit et sa faisabilité.

• *La direction des communications*

Le projet, si beau soit-il, n'est rien si l'on ne réussit pas à le vendre à un public.

J'ai compris cela le 27 mai 1982, par une soirée froide et pluvieuse, au moment de la troisième Grande Virée, à l'ancienne piste de course Richelieu à Pointe-aux-Trembles. Fiers de notre installation impeccable, nous accueillions ce soir-là la grande star américaine Tina Turner et ses musiciens. Moins de 200 personnes sont venues. À 13 000 $ US le cachet plus les frais, ce fut un fiasco financier.

La naissance heureuse du Festival Juste pour rire a surgi des cendres de cette expérience malheureuse, comme quoi tout échec n' est pas vain.

La direction des communications est un joueur clé sur qui repose la vente de l'événement. La stratégie qu'elle élabore en fonction des clientèles cibles se traduit par des actions de promotion et de publicité ainsi que par des relations de presse dont elle a la responsabilité. Toute communication verbale, écrite ou visuelle de l'événement doit idéalement passer entre les mains de cette direction avant d'être diffusée, ce qui n'est pas toujours le cas. À chaque événement, il y a toujours un membre de l'organisation qui, impressionné par la présence des médias, finit par faire une déclaration à l'emporte-pièce.

Naturellement, les membres de cette direction sont bons vendeurs. C'est pourquoi on leur confie aussi les activités de relations publiques et de protocoles. Toutes les personnalités (politiciens, commanditaires, etc.) que vous avez harcelées au cours des derniers mois pour obtenir leur appui s'attendent à être bien accueillies le soir de l'événement. Le service des relations publiques les prendra en charge avec charme et diplomatie. Le protocole à respecter est souvent encombrant pour un organisateur d'événement, mais fort payant par la suite.

Il est efficace de confier à cette direction le pavoisement et la signalisation sur les lieux de l'événement. D'abord, parce qu'il s'agit d'une autre façon efficace de communiquer avec le public, puis parce que ce sont des outils très importants pour la visibilité des commanditaires.

Finalement, dans l'effervescence de l'événement, on oublie souvent d'en capter les moments historiques ou magiques pour la pérennité. Pour documenter votre présentation de l'année suivante ou pour conserver à jamais les images de votre succès, l'archivage visuel de l'événement est toujours un bon investissement.

L'essentiel du travail de la direction des communications doit se faire bien avant l'événement. Cette direction talonne sans cesse la direction de la programmation pour obtenir des nouvelles fraîches à communiquer. L'équipe du financement exerce beaucoup de pression sur le groupe des communications pour obtenir le plan de visibilité pour les commanditaires. C'est le jeu du chat et de la souris. On ne peut pas faire un plan de marketing (incluant la visibilité des commanditaires) sans connaître la programmation. L'équipe de la programmation ne peut pas décider de son contenu sans connaître les sommes d'argent dont elle peut disposer. La direction des communications est coincée entre la programmation qui ne vient pas et le financement qui l'attend. Tout le monde pousse en même temps. C'est là le nœud à dénouer chaque fois. Il n'y a pas de recette miracle pour remédier à cela. Un jour, tout finit par débloquer par l'une ou l'autre de ces portes d'accès.

4.2.3 Un exemple vécu

Regardons un exemple concret d'une structure organisationnelle mise en place pour un événement ponctuel et qui illustre le partage des responsabilités entre les joueurs selon le modèle présenté.

Analysons de plus près l'événement Destination Famille, réalisé à l'occasion de l'Année internationale de la famille en 1994. Il avait pour mission de présenter aux gens de LaSalle l'éventail des services publics et parapublics offerts à la famille dans la région.

Cet événement de 3 jours offrait 264 activités réparties sur la place centrale, dans les 6 îlots thématiques et à l'extérieur. Plus de 300 personnes ont investi temps et énergie pour la réalisation de cet événement : 2 promoteurs, un comité organisateur de 12 personnes, 108 organismes partenaires, 34 commanditaires, 3 permanents assistés de 25 techniciens et plus de 50 bénévoles. Plus de 10 000 personnes ont finalement salué l'événement.

Dès le départ, il était important pour le coordonnateur du projet de savoir qui ferait quoi parmi ce large bassin d'intervenants du secteur public. On trouvait, tout en haut de la pyramide, les deux promoteurs-décideurs : la Corporation municipale de LaSalle et la Chambre de commerce régionale. Ils étaient assistés d'un comité organisateur formé des représentants du cégep, de l'hôpital, du service de police, du centre d'emploi, des services municipaux, etc. Ces membres ont tous participé activement à l'événement et à son financement sous des thématiques familiales complémentaires. Deux autres comités de soutien ont été créés, l'un pour le financement et l'autre pour la communication. Finalement, l'organigramme établissait bien le mandat du coordonnateur : la conception, la coordination et la réalisation de l'événement.

Il aurait été difficile de gérer efficacement l'événement si ces règles du jeu n'avaient pas été clairement établies au départ. Elles ont permis à chacun de se limiter à son rôle de décideur ou de conseiller et d'éviter les conflits.

L'organigramme de l'événement présenté au tableau 4.6 peut sembler complexe étant donné le nombre de joueurs. Il est à l'image de bon nombre d'événements publics.

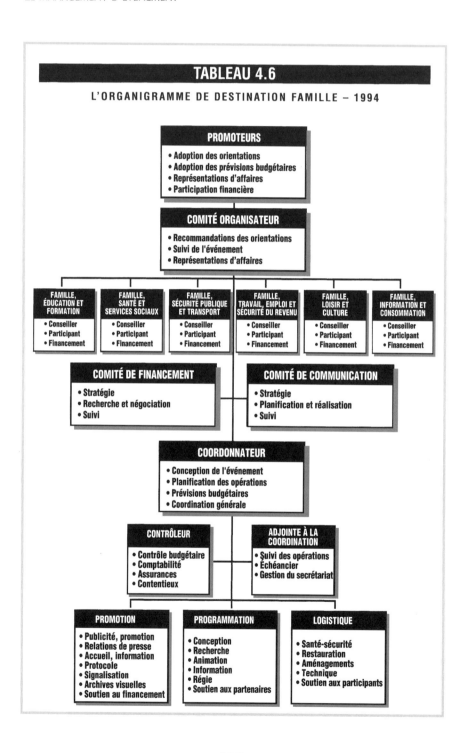

TABLEAU 4.6

L'ORGANIGRAMME DE DESTINATION FAMILLE – 1994

PROMOTEURS
- Adoption des orientations
- Adoption des prévisions budgétaires
- Représentations d'affaires
- Participation financière

COMITÉ ORGANISATEUR
- Recommandations des orientations
- Suivi de l'événement
- Représentations d'affaires

FAMILLE, ÉDUCATION ET FORMATION
- Conseiller
- Participant
- Financement

FAMILLE, SANTÉ ET SERVICES SOCIAUX
- Conseiller
- Participant
- Financement

FAMILLE, SÉCURITÉ PUBLIQUE ET TRANSPORT
- Conseiller
- Participant
- Financement

FAMILLE, TRAVAIL, EMPLOI ET SÉCURITÉ DU REVENU
- Conseiller
- Participant
- Financement

FAMILLE, LOISIR ET CULTURE
- Conseiller
- Participant
- Financement

FAMILLE, INFORMATION ET CONSOMMATION
- Conseiller
- Participant
- Financement

COMITÉ DE FINANCEMENT
- Stratégie
- Recherche et négociation
- Suivi

COMITÉ DE COMMUNICATION
- Stratégie
- Planification et réalisation
- Suivi

COORDONNATEUR
- Conception de l'événement
- Planification des opérations
- Prévisions budgétaires
- Coordination générale

CONTRÔLEUR
- Contrôle budgétaire
- Comptabilité
- Assurances
- Contentieux

ADJOINTE À LA COORDINATION
- Suivi des opérations
- Échéancier
- Gestion du secrétariat

PROMOTION
- Publicité, promotion
- Relations de presse
- Accueil, information
- Protocole
- Signalisation
- Archives visuelles
- Soutien au financement

PROGRAMMATION
- Conception
- Recherche
- Animation
- Information
- Régie
- Soutien aux partenaires

LOGISTIQUE
- Santé-sécurité
- Restauration
- Aménagements
- Technique
- Soutien aux participants

Résumons avant de poursuivre. Vous avez été invité à bâtir l'organigramme de votre projet, en désignant les fonctions nécessaires pour le réaliser, et à déterminer les niveaux hiérarchiques entre ces fonctions. Vous avez complété votre organigramme en imputant à chaque fonction ses responsabilités pour en faire un outil de gestion qui responsabilise véritablement. Il ne vous reste qu'à mettre en place les centres de gestion appropriés pour faire vivre et évoluer la structure organisationnelle du projet.

4.3 Les centres de gestion

Un organigramme est la représentation graphique d'une organisation vivante. Les centres de gestion fixent les règles du jeu pour animer stratégiquement, au jour le jour, les membres qui la composent.

Les centres de gestion sont les nombreux comités que l'on trouve dans tous les projets : conseil d'administration, comité exécutif, comité directeur, comité de gestion des unités de travail, etc. Qu'on le veuille ou non, les comités existent, et ce, sous des formes diverses.

On entend souvent le commentaire suivant : « On passe trop de temps en réunion, je n'ai plus le temps de faire mon travail ! » Pourquoi ce sentiment de perdre son temps en réunion est-il si largement répandu dans les organisations ? Parce que c'est vrai que l'on y passe beaucoup trop de temps ! Trop fréquemment, ces rencontres ne se déroulent pas en présence des bonnes personnes (entre autres, les absents), au bon moment, et ne portent pas sur les bons sujets. On doit à maintes reprises reprendre la même discussion avec des personnes différentes. Dans un tel contexte, il est humain de tenter d'échapper à ces réunions !

Au Comité des Fêtes du 350ᵉ anniversaire de Montréal, on a cherché à simplifier la structure de fonctionnement pour optimiser son efficacité. Après avoir dressé la liste de tous les comités (une bonne vingtaine !) et évalué leur pertinence, nous avons conclu que tous ces comités ou

presque avaient leur raison d' être. Bon nombre étaient dic-
tés par le protocole d' entente liant l' organisation des fêtes
à la municipalité. Le constat entériné par le comité exécutif
s' est conclu ainsi : si on n' a pas d' autre choix que de vivre
avec tous ces comités, il faudra les respecter partout dans
l' organisation. En effet, à vouloir éviter ces comités, il se
perdait un temps fou, car, la plupart du temps, ce n' était
que partie remise.

Selon la nature du projet (public ou privé), la liste des centres de gestion sera plus ou moins longue. Peu importe, l'important est qu'ils aient tous leur raison d'être. Ils sont les courroies de transmission nécessaires pour coordonner les opérations et prendre les décisions tout en favorisant une bonne concertation au sein de l'organisation. De là l'importance de les définir adéquatement.

Le principe est simple : chaque cadre de l'organisation doit faire partie d'au moins deux centres de gestion pour faire fonctionner la grande chaîne de l'organisation. Bien sûr, il est souvent appelé à faire partie de nombreux autres centres de gestion, mais, à la base, ces deux centres sont essentiels.

- **Un premier centre de gestion,** dont il assume habituellement la direction et qui lui concède un pouvoir de décision ou d'opération vers le bas de la pyramide.

  Ex. : le directeur général dirige le comité des directeurs.

- **Un second centre de gestion,** sous la direction de son supérieur immédiat et qui lui concède un pouvoir d'influence vers le haut de la pyramide.

  Ex. : le directeur général participe aux réunions du CA et du CE.

En déterminant ainsi les centres et les temps de gestion, vous tracerez le processus décisionnel de votre projet, comme le montre le tableau 4.7.

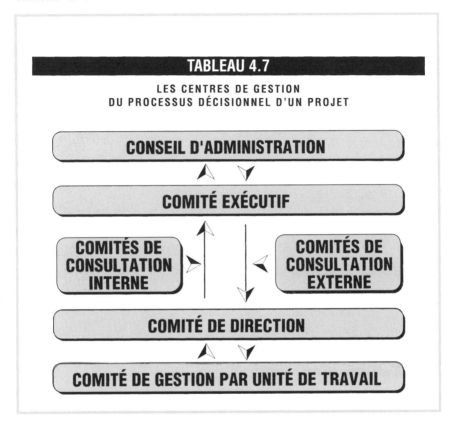

TABLEAU 4.7

LES CENTRES DE GESTION
DU PROCESSUS DÉCISIONNEL D'UN PROJET

CONSEIL D'ADMINISTRATION

COMITÉ EXÉCUTIF

COMITÉS DE CONSULTATION INTERNE

COMITÉS DE CONSULTATION EXTERNE

COMITÉ DE DIRECTION

COMITÉ DE GESTION PAR UNITÉ DE TRAVAIL

4.3.1 La composition

Définissez les centres de gestion qui sont nécessaires à votre projet. Ayez le souci de regrouper les personnes adéquates, de donner à celles-ci un mandat clair et de bien orchestrer les rencontres de ces comités (tableau 4.8).

TABLEAU 4.8

LES CENTRES ET LES TEMPS DE GESTION
(EXEMPLE TYPE)

1. Les centres de décision

- Le conseil d'administration   environ 6 fois par année (ex. : 1er lundi 19 h)
- Le comité exécutif   environ 10 fois par année (ex. : 2e lundi 17 h)

Formés des administrateurs désignés, ils sont responsables principalement d'adopter les orientations, les prévisions budgétaires, les états financiers et d'en assurer le suivi.

2. Les centres d'opération

- Le comité de direction   statutaire 1 fois par semaine (ex. : mercredi matin)
- Le comité de gestion
  par unité de travail   statutaire 1 fois par semaine (ex. : mardi matin)

Formés des gestionnaires désignés, ils sont responsables, entre autres, de proposer les orientations et les prévisions budgétaires, de planifier, de diriger et d'évaluer les opérations.

3. Les centres de consultation interne

- Les comités du conseil   minimum 3 fois par année (ex. : 1er lundi 17 h)
- Les comités thématiques   selon les besoins

Formés de spécialistes choisis parmi les membres de l'organisation, ils sont responsables d'analyser des dossiers propres à leur champ d'expertise et d'émettre des recommandations.

4. Les centres de consultation externe

- Le comité des citoyens   avant, pendant et après le projet
- Le comité d'honneur   avant, pendant et après le projet

Formés de personnalités choisies à l'extérieur de l'organisation, ils sont invités à donner leur point de vue sur des opérations qui les concernent ou à soutenir publiquement le projet.

Il est bon de discuter du bien-fondé de tous ces comités avant de les inscrire à l'agenda de chacun. L'aide-mémoire du tableau 4.9 peut vous aider à poser les bonnes questions pour déterminer ou améliorer ces courroies de transmission indispensables.

TABLEAU 4.9

UN AIDE-MÉMOIRE POUR L'ÉVALUATION D'UN CENTRE DE GESTION

Quoi ?

- Quel est le nom du comité ?
- Quel est son mandat et quelles sont ses limites (la nature des discussions) ?
- Quel est son pouvoir dans l'organisation (décisionnel, opérationnel, consultatif) ?

Qui ?

- Qui en fait partie et pourquoi ?
- Est-ce que ce sont les bonnes personnes ?
- Chacun participe-t-il au même titre (membre à part entière, personne-ressource, observateur) ?

Quand ?

- La fréquence des rencontres correspond-elle aux besoins (jour, heure, durée) ?
- La rencontre est-elle convoquée à l'avance (par lettre ou par agenda bloqué) ?

Comment ?

- L'ordre du jour est-il clairement établi (priorité des sujets et temps alloué) ?
- Le climat est-il favorable à l'échange et à l'écoute (choix de l'animateur, style d'animation) ?
- Les conditions de réalisation sont-elles favorables (lieu, salle, outils) ?

Le suivi ?

- Après la rencontre du comité, l'information se rend-elle aux personnes visées (procès-verbal, note, sous-comités) ?

4.3.2 L'animation

Trop souvent, l'ordre du jour des rencontres de ces comités est préparé à la hâte, sans que personne ne se préoccupe de la dynamique de la discussion souhaitée. Évitez le traditionnel tour de table où chacun fait son boniment, ce qui défavorise les derniers à parler. Il est reconnu que la vivacité moyenne des gens en réunion diminue considérablement après deux ou trois heures. Il vaut mieux profiter de la période d'attention du début de la réunion pour discuter des sujets importants.

Planifiez stratégiquement l'ordre du jour tel que nous le suggérons dans le tableau 4.10. Regroupez au début de la rencontre les sujets qui sont en attente d'une décision. Poursuivez la réunion avec les sujets dont vous aimeriez discuter pour entendre les opinions de tous. Il est stratégique de sonder le terrain d'abord, puis de revenir au cours d'une rencontre subséquente avec le même sujet, plus étoffé, qui peut passer à l'étape de la décision. Finalement, contrairement à la pratique courante, gardez pour la fin les sujets pour information, quand tout le monde s'endort!

Si la personne en autorité n'a pas un talent d'animateur, qu'elle n'hésite pas à céder la place à un meneur de jeu. Il n'y a pas d'offense à ce que le comité soit animé par l'un ou l'autre de ses membres, voire par une personne de l'extérieur à l'occasion. Il est même souvent utile que la personne en autorité conserve une certaine distance pour mieux réagir.

> *Au Cirque du Soleil, les réunions mensuelles du comité exécutif sont animées à tour de rôle par l' un de ses membres. Chacun a son style! Cette pratique, très appréciée des participants, dynamise les rencontres.*

Au début de la réunion, le meneur de jeu doit s'assurer de l'assentiment de tous quant à l'ordre du jour et à l'horaire suggéré (temps alloué par sujet et heure de clôture prévisible). Ainsi, les objections ou les inévitables membres qui doivent partir avant la fin seront dévoilés dès le départ. N'hésitez pas à ajuster l'ordre du jour en conséquence pour garder le cap sur l'essentiel, en présence des personnes adéquates. Faites l'effort de respecter le temps alloué par sujet selon l'horaire de la rencontre. Quel bonheur quand une réunion se termine à l'heure et même plus tôt ! Cela donne presque le goût de revenir.

Avant la fin de la réunion, déterminez la date de la prochaine. Quand tous les agendas sont ouverts en même temps, il est beaucoup plus facile de trouver la plage horaire commune pour la prochaine rencontre.

TABLEAU 4.10

L'ORDRE DU JOUR D'UN COMITÉ DE GESTION

Nom du projet

Nom du comité

Date, heures (début-fin) et lieu de la rencontre (adresse si nécessaire)

Liste des personnes invitées par ordre alphabétique (membres à part entière)

Liste complémentaire des personnes-ressources ou autres invités, s'il y a lieu

1. Les sujets d'ordre général   Temps alloué ?

   • adoption de l'ordre du jour (contenu et horaire)

   • adoption du procès-verbal et bref suivi de la dernière réunion (sans discussion)

2. Les sujets pour décision   Temps alloué ?

   • par ordre de priorités (non par secteur d'activité)

   • présentés par (nom de la personne désignée)

3. Les sujets pour consultation   Temps alloué ?

   • par secteur d'activité si désiré ou autrement

   • présentés par (nom de la personne désignée)

4. Les sujets pour information   Temps alloué ?

   • tour de table rapide

5. Les questions diverses   Fin prévue ?

   • prochaine réunion

Regrouper ainsi les bonnes personnes, pour discuter des bons sujets, au bon moment, est très stratégique pour l'avancement du projet. La formation des centres de gestion est un autre élément important pour la mise en place d'une organisation efficace et responsable.

Il est à prévoir que les gestionnaires auront besoin de soutien pour améliorer leur rendement et ainsi mieux traverser les difficultés de leur gestion quotidienne.

4.4 Le soutien à la gestion

Chaque cadre de l'organisation doit fournir encadrement et soutien à son équipe de travail. Le soutien en gestion représente une attente croissante dans les organisations, avec laquelle doit composer tout dirigeant d'événements. Mais peu d'entre eux ont été formés pour faire face aux exigences actuelles de la gestion. Non seulement ils sont appelés eux-mêmes à se débrouiller avec les moyens qu'ils ont pour s'y initier, mais ils doivent, en plus, soutenir leurs équipes dans leur apprentissage de la gestion. Comment offrir à d'autres ce que l'on ne possède pas toujours ?

4.4.1 Les outils d'évaluation

Intégrer dans sa pratique de gestion des indicateurs de progrès se révèle fort pertinent. Ces indicateurs évaluent globalement l'état du projet et le climat organisationnel. Les rencontres d'évaluation (du projet ou du personnel) sont un exemple. Ces temps d'arrêt permettent souvent un ajustement de parcours appréciable.

• *L'évaluation du projet en cours*

L'évaluation du projet en cours de réalisation constitue un temps d'arrêt qui permet à coup sûr le réalignement du projet et le ressource-ment des participants.

À raison de deux ou trois fois par année comme le suggère le tableau 4.11, ces temps-bilans regroupent les membres de l'équipe de direction (ou d'une équipe particulière) et se déroulent à l'extérieur du lieu habituel de travail, ce qui permet d'aspirer à de meilleurs résultats. L'ordre du jour doit éviter à tout prix les discussions opérationnelles sur les sujets habituels. Les participants doivent se concentrer sur les grands enjeux de l'heure et sur l'élaboration de stratégies permettant de faire face à la situation. C'est également l'occasion de discuter de l'état du management et de définir les pistes d'amélioration, s'il y a lieu. Souvent animé par une ressource externe, un temps d'évaluation est un bon investissement pour assainir la gestion du projet en cours de préparation et consolider l'équipe de direction.

TABLEAU 4.11

LE PROCESSUS D'ÉVALUATION ANNUEL DU PROJET (EXEMPLE TYPE)

1. Temps-bilan printemps : bilan de l'année précédente et ajustement de l'année en cours

2. Temps-bilan été : bilan et ajustement de l'année en cours

3. Temps-bilan automne : projection de l'année à venir et ajustement de l'année en cours

---

• *L'évaluation du personnel en place*

Es-tu heureux dans ton travail ? Pourrais-tu faire mieux ? As-tu besoin d'aide ? Autant de questions simples laissées souvent sans réponses, faute de mécanismes d'évaluation. L'évaluation de chaque membre du personnel est un moment privilégié grâce auquel l'employeur peut faire part de ses attentes à l'employé et ce dernier, en réagissant, peut influer sur les décisions qui le concernent. Il existe de nombreux outils de diagnostic organisationnel dans le marché : optez pour celui qui vous convient.

> *Le Cirque du Soleil a amélioré une approche connue qui consiste à faire remplir une fois l'an le même questionnaire d'évaluation par l'employé et par son supérieur immédiat. Ce questionnaire porte sur la perception de chacun quant aux aptitudes requises pour la fonction et sur le rendement de l'employé. L'employé et l'employeur se retrouvent dans le cadre d'une rencontre de quelques heures pour échanger et commenter leurs réponses. L'employeur en profite pour exprimer ses points de satisfaction ou d'insatisfaction et l'employé peut réagir. On termine la réunion en établissant les attentes pour la prochaine année. Ces objectifs établis d'un commun accord deviendront le point de départ pour la prochaine évaluation de l'employé. Un cycle d'amélioration de la gestion s'est ainsi installé partout dans l'organisation.*

4.4.2 Les outils de communication interne

La communication interne est un outil de gestion important pour augmenter l'efficacité et le bien-être des troupes. Il ne s'agit surtout pas de mettre au point des outils « surnaturels » pour remplacer la communication relationnelle. Les outils de communication interne sont là pour soutenir ce quelque chose de spontané : « Il faut se parler ! »

La communication dans une organisation qui croît devient chaque fois un enjeu. Les outils de communication interne favorisent une meilleure compréhension du projet et de son organisation en constante évolution.

En 1985, le Cirque du Soleil était installé au rez-de-chaussée d'un triplex, rue Saint-Hubert à Montréal. La communication interne, à l'époque, était assez facile, car tout le monde pouvait entendre le président parler fort ou voir son associé gesticuler du fond de l'appartement de cinq pièces. Depuis, le Cirque s'est établi dans un complexe aussi grand qu'une polyvalente. Récemment, les deux acolytes ont fait le tour du monde en quelques semaines pour rencontrer les membres des quatre divisions territoriales et leurs sept équipes-projet. Communiquer est devenu toute une science!

Dans une organisation bien structurée, quand vient le temps de donner une directive, le message se rend habituellement à destination sans problème (bonne communication verticale de haut en bas de la pyramide organisationnelle). Par contre, la communication entre collègues de différents services peut en être négativement affectée (surexploitation des liens hiérarchiques au détriment des relations internes). C'est pourquoi les réseaux de communication horizontale (interservices) doivent être fortifiés si l'on veut conserver un juste équilibre.

Au cours de sa croissance fulgurante, le Cirque du Soleil a vécu ce phénomène d'une communication horizontale difficile. L'équipe du marketing, sensible à toutes les problématiques communicationnelles, a créé, il y a quelques années, le « PR Sommet », qui regroupe au moins une fois l'an toutes les équipes de relations publiques partout dans le monde pour échanger des idées sur leurs enjeux respectifs et sur leurs méthodes de travail. Les résultats ont été instantanés et la pratique s'est répandue dans toute l'entreprise. Ces rencontres latérales sont devenues des périodes de ressourcement et de perfectionnement, mais ne remplacent en aucune façon les liens hiérarchiques qui existent entre les participants et leur division territoriale ou leur équipe-projet.

Un autre phénomène de communication interne de plus en plus répandu dans l'organisation d'événements est l'environnement multiculturel dans lequel elle évolue, que ce soit en raison de la composition des équipes ou du contenu des activités. Apprendre à vivre avec les différences culturelles devient un enjeu qui modifie les perceptions et les attitudes des gestionnaires. Découvrir les ressemblances culturelles est plus profitable que de chercher à comprendre les différences. Soutenez les membres de votre organisation dans leur effort d'intégration à leur nouveau contexte culturel en vue d'éviter la formation de ghettos infranchissables.

• *La communication de gestion*

La communication de gestion est un sous-ensemble de la communication interne. Elle doit transmettre les éléments percutants du projet (cadre de réalisation) aux gestionnaires dans l'exécution de leurs mandats, sans plus, ce qui est souvent déjà trop. La diffusion de cette information de gestion, que l'on s'assure de garder à jour, doit se faire sous une forme conviviale et cohérente, soutenue par des outils efficaces.

Trouver rapidement l'information recherchée sans avoir à se taper une brique de documents est le rêve de tout gestionnaire, ce qui est devenu réalité aujourd'hui grâce aux récents développements des technologies de l'information. On peut enregistrer des quantités importantes de renseignements, les catégoriser, leur donner un ordre de priorités, les diffuser largement ou en limiter l'accès selon le bon vouloir de l'usager. On ne peut plus penser à organiser un événement sans mettre à profit ces nouvelles technologies. Mais on ne peut pas non plus organiser un événement en étant à la remorque de ces outils des temps modernes. Réussir à cerner l'information utile à la gestion et la diffuser au bon moment et aux bonnes personnes demeure un enjeu constant.

◆ ◆

Être compris de son interlocuteur
à l'interne est un art aussi complexe
que celui de capter l'attention de son public à l'externe.

◆ ◆ ◆ ◆ ◆ ◆ ◆ ◆

Tous ces outils de soutien ont pour but d'aider les gestionnaires dans leur apprentissage des nouvelles réalités de gestion. Ils s'inscrivent dans un processus d'amélioration continue qui doit être élaboré en complicité avec les gestionnaires pour répondre à leur besoin réel et non pour donner bonne conscience aux patrons. Un processus d'amélioration continue signifie que toutes ces interventions visant à favoriser l'amélioration de la gestion s'insèrent dans un cycle qui ne s'arrête qu'à la fin du projet ou au moment de la dissolution de la compagnie.

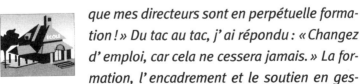

En Gaspésie, la directrice générale d'un événement récréotouristique important m'a demandé un jour: «Qu'est-ce que je peux faire pour éviter d'expliquer sans cesse les mêmes choses à mon monde? J'ai l'impression que mes directeurs sont en perpétuelle formation!» Du tac au tac, j'ai répondu: «Changez d'emploi, car cela ne cessera jamais.» La formation, l'encadrement et le soutien en gestion sont une partie intrinsèque de la fonction de tout dirigeant, lequel est payé plus cher parce qu'il en sait plus. La réponse n'a pas plu: cette dame ne m'a jamais rappelé!

Toute initiative en matière de formation et de perfectionnement est en général bienvenue chez les jeunes gestionnaires en apprentissage. Il en est autrement pour les vieux routiers qui savent tout faire, mais qui sont souvent de bien mauvais professeurs pour transmettre leur savoir. Il existe de plus en plus de formations spécialisées en gestion de projets dans le marché. Il est malheureux de constater que les gestionnaires qui refusent habituellement d'y participer, faute de temps diront-ils, sont souvent ceux qui en ont le plus besoin.

4.5 Une démarche de structuration

Résumons : bâtissez l'organigramme de votre événement en précisant d'abord les fonctions de base requises (premier élément) et en fixant leur interrelation ou les niveaux hiérarchiques entre ces différentes fonctions (deuxième élément). Ajoutez le partage des responsabilités rattachées à chacune d'entre elles (troisième élément) pour en faire un véritable outil de gestion responsabilisant. Complétez cet exercice par la formation des centres de gestion (quatrième élément). Vous aurez ainsi mis en place la structure organisationnelle qui favorise l'organisation responsable tant recherchée. Offrez aux membres de votre organisation un soutien en gestion (cinquième élément) selon leurs besoins et vous obtiendrez des résultats surprenants.

La structure organisationnelle doit reposer sur les besoins réels du projet et non sur les humeurs de chacun. Tout ajustement trop personnalisé de la structure risque d'entraîner la duplication et la confusion des rôles dans l'organisation, sans compter qu'il peut créer des problèmes en cas de remplacement éventuel. Il sera, en effet, difficile de trouver le candidat idéal pour une fonction disparate qui a été créée sur mesure pour une autre personne. Si les réalités de l'organisation en place ou du recrutement en cours exigent une adaptation de la structure organisationnelle définie, cela devra se faire sans perdre de vue ce modèle. Si les circonstances deviennent plus favorables et permettent des ajustements à la structure organisationnelle, vous aurez vite fait de réagir pour vous rapprocher de cet idéal.

La structure organisationnelle, comme tout autre outil de gestion, doit être actualisée périodiquement selon l'évolution du projet. N'oubliez surtout pas d'informer l'ensemble des membres de l'organisation chaque fois qu'un changement survient. C'est une simple question de respect pour les gens avec qui l'on travaille.

Abordez le gestionnaire comme un véritable responsable et non comme un simple exécutant. Voilà l'essentiel du message de ce chapitre sur la structure organisationnelle.

Q U A N D   ?

Mettre en place une gestion
stratégique du temps

ÉTAPE JALON	DATE DE DÉBUT	DATE DE FIN	RESPONSABLE	DÉCIDEUR

La grande majorité des gestionnaires affirment qu'ils ont la maîtrise de leur temps. Pourtant, ils n'ont généralement pas le temps de faire tout ce qu'ils avaient planifié pour la journée. Leurs priorités sont souvent décidées en fonction de l'urgence du moment et ils doivent sans cesse s'ajuster aux priorités de leurs collègues. Tous sont prêts à tout chambouler pour répondre à un imprévu. Ils se vantent de pouvoir réagir rapidement, même si cela les éloigne parfois dangereusement du fil conducteur. L'urgence de la journée aura toujours le dernier mot !

Avec le recul, on se rend compte, souvent, que ces changements de cap auraient pu être évités si l'on avait fait une meilleure planification. Les gestionnaires avertis savent qu'un manque de planification crée inévitablement de nombreuses frictions au sein de l'organisation. Tous se disent prêts à investir l'énergie qu'il faut pour améliorer la gestion du temps, mais ils s'empressent d'en déléguer la tâche à leur assistant. Très peu, finalement, suivent et respectent l'échéancier du projet. Pourquoi ?

◆   ◆

Contrôler l'argent est un mal acceptable
pour réaliser tout projet.
Maîtriser le temps du projet est souvent considéré
comme une perte de temps.

◆   ◆   ◆   ◆   ◆   ◆   ◆   ◆

Un gestionnaire concède assez facilement à l'entreprise le droit de contrôler l'argent, sachant pertinemment que cet argent ne lui appartient pas, mais il réagit autrement devant la gestion de *son* temps. Souvent, le temps n'est pas considéré comme un « bien collectif » mais comme un « avoir personnel » dans nos organisations.

Malheureusement, le temps ne s'achète pas, et il coûte toujours plus cher de réaliser tardivement son projet. Réaliser le projet à l'intérieur des limites de temps imposées est un art qui s'apprend.

La date de la première du spectacle ou de l'ouverture du festival est généralement décidée dès le départ pour tout projet événementiel. Il s'agit d'une caractéristique fondamentale de la gestion par projet : la date de la fin est fixée très tôt dans le cycle du projet. Cette échéance ultime crée un stress inévitable avec lequel doit composer tout organisateur d'événement : « Livrer le *show* à tout prix pour la première. »

Tout se passe bien dans la mesure où ce stress est contenu dans des limites humainement acceptables. Mais quand les fusibles sautent, alors, c'est la grande noirceur et tout le monde panique. On se bouscule et on cherche les coupables.

> *Un jour, je siégeais au comité d'experts-conseils pour sélectionner le projet et la firme en vue d'offrir un nouveau spectacle multimédia à La Ronde (parc d'attractions). Au cours d'une rencontre préparatoire, l'un des membres du comité, vice-président chez SNC-Lavalin, pose la question : « Quels sont les indices de mesures que l'on aura pour s'assurer que le projet sera livré à temps et dans les conditions accordées ? » Les autres membres, majoritairement issus du milieu du spectacle, se sont regardés, perplexes, et ont répondu : « Il sera livré à temps parce que* the show must go on *! » Comme indice de mesure, avouons-le, cela n'est pas très fort.*

La gestion du temps dans les organisations événementielles repose largement sur la transmission orale, à l'image de la pratique en général. Il ne faut pas négliger l'importance de cette transmission de « père en fils » sans pour autant s'y limiter. Ne cherchez surtout pas à remplacer cette culture « naturelle » par un outil de gestion du temps « virtuel ». Changer ces habitudes de gestion exige un long travail en profondeur de sensibilisation, de formation et de soutien.

Dans le cas d'un nouveau projet ou d'un projet de moindre envergure, il est possible de coordonner le temps du projet en se servant uniquement de sa mémoire. Mais tôt ou tard, si le projet prend de l'ampleur, vous devrez vous doter d'un outil de gestion du temps informatisé, qui deviendra un aide-mémoire pour l'ensemble des membres de l'organisation. Cependant, que la gestion du temps se fasse de mémoire ou au moyen d'un aide-mémoire sophistiqué, les fondements sont les mêmes.

Une culture de la gestion du temps doit être introduite au sein de l'organisation bien avant d'implanter l'outil de gestion du temps, si efficace soit-il. Voilà ce que propose ce chapitre : élaborer une approche stratégique de la gestion du temps d'un événement.

5.1 Le cycle de vie d'un événement

De nos jours, les futurologues de la gestion prédisent le succès aux organisations qui sauront réinventer leurs processus d'exécution. Nous partageons cette vision, mais encore faut-il bien comprendre les processus d'exécution de son projet si on veut les réinventer. Malgré leur diversité, les événements se déroulent généralement en suivant les mêmes phases de réalisation. Seuls le contenu et le rythme de chacune de ces phases varient d'un projet à l'autre. Il est impératif d'avoir une vue d'ensemble des différentes phases de réalisation du cycle de vie d'un événement si on veut les inscrire dans l'échéancier et les suivre.

TABLEAU 5.1

LES PHASES DE RÉALISATION D'UN ÉVÉNEMENT

1. L'ORIENTATION *Pourquoi ?*
Phase de préconception qui a pour but de partager les visions de l'événement et les motivations des leaders et de définir les réalités du projet afin de déterminer le sens du projet.

2. LA CONCEPTION *Quoi ?*
Phase de formulation qui a pour but de fixer le cadre de réalisation à l'intérieur duquel le projet devra se réaliser.

3. L'EXPLORATION
Phase de recherche qui a pour but de vérifier la faisabilité du projet et de cerner le public potentiel avant sa mise en œuvre.

4. LA PLANIFICATION
Phase prévisionnelle qui a pour but de structurer ce que l'on veut réaliser et de choisir les ressources pour y parvenir.

5. LA PRODUCTION
Phase opérationnelle qui a pour but d'accomplir toutes les tâches nécessaires pour mener le projet à terme.

6. LA DIFFUSION
Phase d'exécution qui a pour but de réaliser l'événement.

7. L'ÉVALUATION
Phase d'appréciation qui a pour but de mesurer les résultats de l'événement réalisé et de remercier les personnes qui s'y sont engagées.

5.1.1 L'orientation et la conception

Il serait redondant de revenir sur les premières phases d'orientation et de conception, qui ont été largement présentées aux chapitres 2 et 3. On se souvient que la phase d'orientation permet d'établir, entre les leaders, un terrain d'entente autour de l'espace de réalisation du projet et son minimum vital. À la phase de conception, les paramètres du projet (contenu et contenant) sont déterminés et fixent le cadre de réalisation à l'intérieur duquel l'événement devra être réalisé.

Le cycle de vie d'un événement se poursuit à travers les phases d'exploration, de planification, de production, de diffusion et d'évaluation.

5.1.2 L'exploration

La phase de l'exploration se situe idéalement après la conception et avant la planification. Mais la réalité peut être tout autre. Souvent par manque de moyens ou tout simplement pour répondre aux besoins du projet, elle se déroule à un autre moment.

L'exploration doit se concentrer sur les principaux facteurs de risques du projet méconnus des organisateurs. De nombreux types d'études peuvent être menées, soit des études d'opportunité, de préfaisabilité, de faisabilité, de marché, etc., afin de démontrer la pertinence du projet, de valider sa faisabilité et de mieux connaître les catégories de public potentiel.

Que doit-on étudier ou explorer en priorité pour sécuriser le projet? La réponse est simple : on analyse les aspects du projet qui auront une répercussion d'envergure sur le résultat final et pour lesquels on possède peu d'expertise.

Au début des années 1990, en réaction au grand succès populaire des feux d'artifice de Montréal, L'International Benson & Hedges, une ville de banlieue voulait lancer un Festival international du laser. Les autorités de cette ville désiraient effectuer une étude de marché afin d'évaluer le potentiel de succès d'un tel événement auprès de la population. Dès la première rencontre, je leur ai mentionné clairement qu'il était inutile de dépenser de l'argent pour évaluer la réaction du public. «Soyez sans crainte, vos citoyens adoreront ce genre d'événement visuel et spectaculaire. Il n'y a aucun doute là-dessus, le grand public aime ce genre de spectacle visuel.» La question qu'il fallait se poser était plutôt : *Pourquoi ce genre d'événement n'existe pas actuellement ? Je leur ai fortement suggéré de vérifier davantage le potentiel technique du projet, car j'avais eu l'occasion de participer à plusieurs expériences malheureuses avec cette technique encore peu développée et très limitée artistiquement. Or, un groupe d'experts américains avait déjà convaincu les autorités de la ville des capacités phénoménales de leur produit : «Tout le spectacle est contenu à l'intérieur d'un seul conteneur de 40 pieds qui se déploie comme par miracle pour offrir toutes ces merveilles, à 60 000 $ US par soir!» Finalement, le festival n'a jamais eu lieu, car la Ville a rapidement compris les limites immédiates de ce genre d'événement (les effets limités du laser par rapport aux coûts). D'autres promoteurs, par la suite, se sont essayés sans succès.*

P.-S. J'ai assisté au spectacle «Singapore's Fountain of Wealth at Suntec City», une gigantesque fontaine à jeux d'eau et effets laser. La plus grande fontaine du monde, dit la publicité (construction : 8 millions $ US). Les effets sont *saisissants au premier coup d' œil, mais trop répétitifs, ne réussissant pas à garder l' intérêt du public jusqu' à la fin de ce spectacle gratuit de 30 minutes.*

Les promoteurs d'événements s'aventurent souvent en terrain inconnu les yeux fermés, faute de fonds nécessaires pour procéder à des études exploratoires. Inévitablement, les mésaventures en cours de route sont nombreuses et parfois dramatiques. Les résultats de ces études confirmeront ou infirmeront les paramètres du projet préalablement fixés dans le cadre de réalisation.

5.1.3 La planification

La phase de planification est d'une importance cruciale. Le cadre de réalisation établi (phase de conception) et validé (phase d'exploration) préalablement facilitera grandement cette phase de planification. Sans conception, il n'y a rien à planifier, mais il faut une bonne planification pour faire vivre une belle conception. Trop souvent, et particulièrement dans le cas des projets récurrents, on s'imagine à tort que planifier son projet c'est le concevoir.

Il s'agit d'un exercice de projection pour traduire en termes opérationnels ce qui doit être fait pour réaliser le projet et qui prend habituellement la forme d'un plan d'action. Ce plan précise comment vous structurerez l'organisation, l'échéancier et le budget de votre événement. Pendant cette phase, on dressera aussi la liste des ressources nécessaires, et on procédera au recrutement des équipes de travail ainsi qu'au choix des fournisseurs et des collaborateurs.

Ce livre est largement dédié à vous outiller pour établir habilement ce plan d'action.

5.1.4 La production

C'est au début de cette phase que les équipes de travail se mettent en place. Une erreur de planification courante consiste à engager son monde (employés ou bénévoles) trop tôt dans le cycle de vie du projet. À la phase précédente de la planification, seuls les directeurs et quelques assistants devraient être à l'œuvre pour se consacrer entièrement au travail d'analyse et de projection. À partir du moment où les équipes de travail sont en poste, ces mêmes gestionnaires doivent employer une partie importante de leur temps à gérer celles-ci au détriment du temps qu'exige une bonne planification.

Le défaut des organisateurs est souvent d'organiser trop vite la mise en œuvre du projet. Comme s'ils croyaient que, quand on brasse du papier et non du monde, on ne travaille pas !

En 1985, un groupe de jeunes désirait se lancer dans l'aventure de nettoyer les berges du Saint-Laurent. Le projet ONET est né de cette énergie et avait l'ambition de recruter 100 000 jeunes pour réparer les erreurs des générations antérieures. Le local du comité était un grand entrepôt à peu près rénové, et la pratique voulait que chaque nouvel employé arrive avec « sa porte » et qu'on lui fournisse des tréteaux et un téléphone noir à roulette comme outils de travail. Tous ces jeunes travaillaient avec passion pour organiser ce grand happening. Le promoteur s'était même rendu à l'ONU rencontrer le Secrétaire général, espérant obtenir la reconnaissance officielle de son projet, ce qu'il a obtenu. Mais la réalité fut tout autre : à l'échéance, seulement quelques centaines de jeunes s'étaient inscrits, alors que déjà des centaines d'autobus scolaires avaient été réservés partout au Québec. Les obstacles de parcours se sont multipliés et le projet a dû être abandonné à cause d'un manque d'expérience, de temps et d'argent. En fait, toute l'énergie des dirigeants était consacrée à encadrer le grand dynamisme des équipes de travail, ce qui leur laissait bien peu de temps pour terminer la conception, la planification et le financement du projet. Dommage, c'était une idée fantastique et tellement d'avant-garde pour l'époque!

Pendant cette phase opérationnelle, les gestionnaires ont grandement besoin d'utiliser des outils de gestion performants (structure organisationnelle, échéancier, budget). C'est également le moment de définir et de mettre en place les politiques et procédures administratives. Il vaut mieux mettre tout le monde au pas dès le départ pour éviter de prendre des mauvaises habitudes.

Comme il s'agit de la plus longue phase du cycle de vie du projet, il sera nécessaire de présenter régulièrement un rapport d'étape aux décideurs pour les tenir informés de l'état d'avancement des travaux. On travaille souvent de longs mois à organiser un événement qui ne dure que quelques jours.

5.1.5 La diffusion

Cette phase correspond à la période d'occupation du lieu de l'événement (début du montage des installations, exécution de l'événement et fin du démontage des installations). C'est précisément à ce moment-ci que l'on doit démontrer toute sa force d'organisateur, car le danger de perdre la maîtrise de son événement est plus réel que jamais pendant cette période critique.

Dès le début du montage, la dynamique de travail change. Les liens d'autorité devront être remaniés pour assurer le bon déroulement de l'événement, et ce, peu importe les difficultés de parcours. Voir au bon déroulement de l'événement et répondre aux urgences sont deux rôles bien différents qui ne peuvent être assumés par la même personne durant cette période. Ainsi, le directeur de la logistique deviendra le grand patron pendant les périodes de montage et de démontage. Il cédera son rôle au régisseur qui coordonnera tout le déroulement des activités au moment de leur diffusion. Le directeur général sera plus en retrait pour être prêt à répondre aux urgences, encourager les équipes de travail et jouer son rôle de relations publiques en tout temps.

Pour réussir son projet du premier coup, il faut mettre toutes les chances de son côté en organisant une répétition ou une simulation dans les jours précédant l'ouverture, comme il est de pratique courante au théâtre (la générale, la générale publique, la première). C'est un détour que vous ne regretterez pas. Il permet de tester le produit et son organisation pour corriger rapidement les lacunes et éviter que l'ouverture de l'événement ressemble à une répétition générale. Cela est d'autant plus valable pour les événements ponctuels de courte durée qui n'ont aucune chance de reprise. Dans le milieu des arts de la scène, la tradition veut qu'une répétition générale difficile soit gage d'une première réussie !

Comme vous l'avez peut-être remarqué au chapitre 3, dans le tableau qui reproduisait l'échéancier préliminaire du défilé de la Saint-Jean de 1990, une répétition générale du défilé avait été prévue les jours précédant sa réalisation. Je me souviens des réactions amusantes de certains membres du conseil : «Allez-vous empêcher les journalistes et les citoyens de regarder la répétition dans la rue en disant que la vraie parade est seulement pour le lendemain ?»

À vrai dire, à des mois de l'événement, je n'avais aucune idée de la façon dont on allait organiser cette simulation du défilé, mais je savais pertinemment qu'on devait la faire.

Finalement, cela s'est passé dans l'enclos fermé du Vieux-Port de Montréal, de jour, de nuit et sous la pluie. Et heureusement qu'on a fait cette répétition. Il fallait voir le méli-mélo des 2000 bénévoles en apprentissage à travers la quinzaine de chars allégoriques. Et comme par miracle, tout est rentré à peu près dans l'ordre prévu le jour du défilé officiel. »»

Pendant cette phase d'exécution, il est souhaitable de mettre en place une « salle des commandes » pour coordonner l'ensemble des opérations. Il s'agit du centre névralgique de l'événement, situé dans un lieu à l'écart des activités, mais auquel tous les réseaux et moyens de communication sont rattachés. C'est de là que partiront toutes les directives générales qui s'adressent à l'organisation ou au public. C'est aussi le point de contact pour toutes les autorités (police, pompiers, travaux publics, etc.). Toutefois, ce centre sert de soutien aux gestionnaires qui courent partout sur le terrain et ne doit absolument pas chercher à les remplacer. Le centre des opérations (ou salle des commandes) est un centre d'information, non un centre décisionnel.

« *En plein hiver, à la suite d'une visite des lieux pour l'installation future des aménagements extérieurs du Festival Juste pour rire, il avait été noté dans le cahier opérationnel que la borne-fontaine à l'angle des rues Saint-Denis et De Maisonneuve (limite sud du périmètre) devait être enlevée très tôt le premier matin du montage.* *Plusieurs mois plus tard, en plein été, le jour en question et en l'absence du gestionnaire responsable, les services techniques de la Ville commencent comme prévu l'enlèvement des obstacles, borne-fontaine, parcomètres, lam-*

padaires, mais par l'extrême limite nord du périmètre. Entre-temps, le fournisseur d'échafaudages se pointe côté sud et constate que l'emplacement n'est pas prêt à recevoir la scène vu que la borne-fontaine n'a pas été enlevée ; il repart de mauvaise humeur. Puis, les fournisseurs pour l'éclairage, le son et le décor s'en retournent à leur tour, ce qui empêchera le début des tests et des répétitions à l'heure prévue. Bref, quand je me suis pointé vers 11 heures ce matin-là, l'équipe technique était prête à scier la borne-fontaine pour régler le problème. Quelle journée infernale a-t-on dû vivre !

Le superviseur bénévole à la salle des commandes avait bien noté dans le cahier de suivi que l'enlèvement des obstacles dans la rue à compter de sept heures du matin s'était fait, mais pas dans l'ordre prévu, sans pour autant en évaluer toutes les répercussions.

Qui communique avec qui ? On doit également établir clairement les lignes de commandement en cas d'urgence pour, ainsi, éviter d'appeler trois ambulances pour la même fracture. Toute urgence n'est pas de même nature, certaines se planifient et d'autres sont plus imprévisibles. Étant donné les centaines de milliers de personnes qui visitent annuellement le Festival Juste pour rire, il est évident qu'il y aura des blessés mineurs. La pluie obligera aussi l'annulation de certaines activités. Ce sont des situations prévisibles que l'on peut planifier dès le départ. Mais un record de participation (un beau problème) ou je ne sais quoi d'autre sont des situations plus difficiles à prévoir. Pour toute situation d'urgence, un code de procédure doit être préétabli et connu de tous les membres de l'organisation : le repérage du problème, l'analyse de la situation, l'évaluation des solutions, la prise de décision et le suivi.

Durant cette phase de diffusion, la pression est forte pour abandonner ou simplifier les politiques et procédures administratives, soi-disant pour répondre à l'urgence du moment. Ne vous laissez pas impressionner par de telles menaces et gardez le cap sur le but à atteindre en respectant les règles du jeu établies. Au contraire, il faut resserrer l'encadrement des équipes de travail et le mode de fonctionnement. Par exemple, les nombreuses petites caisses dilapidées à tour de bras, soi-disant parce qu'il faut «absolument payer comptant», peuvent faire la différence entre un succès ou un demi-succès financier.

Après l'événement, alors qu'on aimerait bien fêter avec les artistes et, surtout, dormir un peu, il faut démonter les installations. Soyez vigilant, car les blessures, les vols d'équipement, les engueulades inutiles sont alors monnaie courante. Le démontage, comme le montage, doit être planifié méticuleusement pour éviter que vous vous retrouviez seul à ramasser les chaises toute la nuit. Idéalement, de nouvelles équipes de travail fraîches et disposes viendront prêter main-forte aux équipes en place. N'oubliez pas, surtout, alors que les artistes font la fête, de prévoir suffisamment de victuailles pour les vaillants techniciens qui continuent de travailler !

5.1.6 L'évaluation

L'évaluation, dernière phase du cycle de vie d'un événement, contribue à l'avancement du savoir chez les membres de l'organisation et au développement de l'organisme promoteur. Le rapport d'évaluation laisse une trace tangible de ce qui a été fait pour les générations futures.

L'évaluation comprend un rapport quantitatif des activités réalisées et un rapport qualitatif de l'ensemble de la gestion du projet. Il est assez facile de quantifier les résultats du projet par l'énumération factuelle de tout ce qui a été réellement exécuté (le nombre de représentations, d'exposants, de participants, la couverture médiatique, etc.). Il est parfois plus complexe de qualifier la gestion du projet sans se perdre dans un rapport d'analyse technique que personne ne lira.

Le rapport d'étonnement suggéré au tableau 5.2 permet de cerner rapidement ce qui a épaté ou déçu les gestionnaires au cours du projet. Ces éléments « étonnants », qu'ils soient positifs ou négatifs, entraînent rapidement la discussion vers l'essentiel des idées à partager entre gestionnaires pour établir un bon rapport qualitatif du projet réalisé. Tentez l'exercice et vous verrez.

TABLEAU 5.2

UN RAPPORT D'ÉTONNEMENT SUR L'ÉVÉNEMENT RÉALISÉ
(à remplir individuellement pour préparer la rencontre d'évaluation)

1. Au cours de ce projet, qu'est-ce qui m'a agréablement surpris ?

2. Au cours de ce projet, qu'est-ce qui m'a désagréablement surpris ?

3. Si c'était à refaire, quelles seraient mes pistes d'amélioration ?

Signer et dater

À la fin de cet exercice d'évaluation qualitative, il est facile de transposer les opinions exprimées sous forme de recommandations (voir tableau 5.3). Ce qui a étonné positivement est certainement ce qu'il faudra conserver la prochaine fois. À l'inverse, ce qui a étonné négativement est probablement ce qu'il faudra éviter de refaire. Finalement, il est souhaitable de tenir compte des suggestions d'amélioration exprimées pour faire mieux la prochaine fois.

TABLEAU 5.3

UN RAPPORT D'ÉVALUATION SUR L'ÉVÉNEMENT RÉALISÉ
(à compiler collectivement pendant la rencontre d'évaluation)

1. Quels sont les éléments à conserver ?

2. Quels sont les éléments à éviter ?

3. Quelles sont les priorités d'amélioration ?

Signer et dater

Le bilan financier présentant l'état des revenus et des dépenses du projet complète ce rapport d'évaluation. À cela peut s'ajouter l'analyse des retombées économiques et des répercussions bénéfiques pour la collectivité (sur les plans social, culturel, touristique ou autre).

Enfin, avant de fermer boutique, il est de pratique courante de procéder à l'envoi de lettres de remerciement ou à la remise de plaques souvenirs. Ces gestes de reconnaissance, fort appréciés, rendent hommage à toutes les personnes qui ont collaboré au projet : administrateurs, équipes de travail, collaborateurs, commanditaires et gouvernements compris. Ils peuvent faire oublier bien des maladresses de parcours et laissent un agréable souvenir à tous.

On tente parfois d'escamoter la phase de l'évaluation du projet par manque de temps ou d'intérêt. Particulièrement dans le cas d'un projet qui s'est déroulé avec difficulté, il est plus facile de se dire au revoir autour d'un vin et fromages que de se dire les vérités face à face pendant une réunion formelle. Cela est bien dommage, car il s'agit d'une étape d'apprentissage enrichissante qui permet à chacun d'aborder son prochain défi avec plus d'assurance.

Établir au départ le cycle de vie de son événement est une bonne façon de gagner du temps par la suite. Si, par manque de temps, vous devez escamoter ou comprimer l'une de ces phases, le fait d'en être conscient vous aidera à faire des compromis éclairés. Vous devrez quand même trouver la façon de vous rattraper en cours de route, car ces différentes phases doivent être franchies, qu'on le veuille ou non. Elles ne sont pas étanches, souvent elles s'entrecroisent, mais elles existent.

L'outil de gestion du temps proposé ci-après servira à suivre activement les différentes phases de la réalisation du projet.

5.2 L'outil de gestion du temps

Qui décide quoi et quand ? Généralement, les décideurs revendiquent un outil de gestion du temps qui soit sommaire et stratégique. Par ailleurs, les réalisateurs ont davantage besoin d'un outil plus détaillé pour soutenir leurs opérations. Cela provoque souvent la duplication des outils de gestion du temps dans l'organisation, ce qui rend plus difficile le suivi du projet. Le défi consiste à instaurer et à maintenir à jour un outil de gestion du temps qui soit utile aux décideurs (le suivi décisionnel) et qui puisse répondre par extension aux besoins pratiques des travailleurs et des collaborateurs (le suivi opérationnel).

Il y a quelque temps, je discutais avec les membres de l'équipe de direction de la division Asie-Pacifique du Cirque du Soleil de la pertinence d'instaurer un outil de gestion et de son utilisation future. La directrice générale émettait le souhait d'établir un suivi du temps par famille (direction), alors que le directeur des services techniques préférait un suivi par ville de tournée (marché), et, enfin, d'autres désiraient un suivi par activité (responsabilités). Aux fins du suivi général, tous convenaient qu'il serait utile d'avoir un rapport intégré de toutes les échéances pour les six mois à venir. Toutes ces réponses sont bonnes selon la

148

position du gestionnaire dans l'organisation. L'outil de ges-
tion du temps doit aider la directrice générale à assurer un
bon encadrement dans chacune des directions et l'outil doit
aussi soutenir chaque directeur dans l'accomplissement de
ses responsabilités pour chacun des marchés.

En gestion de projet classique, on procède à un découpage par niveaux allant du général au particulier. Les deux premiers niveaux sont généralement stratégiques et sous la responsabilité des dirigeants. Puis, on y greffe plusieurs niveaux opérationnels sous la responsabilité des gestionnaires assignés. Ce découpage s'appelle structure de découpage du projet (SDP) et il permet de visualiser l'ensemble du cycle de vie du projet.

TABLEAU 5.4

LA STRUCTURE DE DÉCOUPAGE D'UN PROJET (SDP)

Phase 1	Phase 2	Phase 3
1.1 Étape jalon	2.1 Étape jalon	3.1 Étape jalon
1.1.1-Tâche A	2.1.1-Tâche A	3.1.1-Tâche A
1.1.2-Tâche B	2.1.2-Tâche B	3.1.2-Tâche B
1.2 Étape jalon	2.2 Étape jalon	3.2 Étape jalon
1.2.1-Tâche A	2.2.1-Tâche A	3.2.1-Tâche A
1.2.2-Tâche B	2.2.2-Tâche B	3.2.2-Tâche B
etc.	etc.	etc.

Comme le montre le tableau 5.4, les tâches opérationnelles, que l'on peut ramifier à volonté, s'accrochent aux étapes jalons, lesquelles s'accrochent à leur tour aux phases de réalisation du projet. De plus, à l'aide d'un bon logiciel de gestion du temps, il est possible d'intégrer les ressources financières et humaines rattachées à chacune des tâches. Il est également possible d'enchaîner un ensemble d'étapes jalons et de tâches dans une séquence chronologique d'activités. Par exemple, on peut, en modifiant simplement la date de la première du spectacle, ajuster automatiquement tout le cycle de vie du projet à cette nouvelle échéance (champ lié par prédécesseur et successeur). Les outils informatisés de gestion du temps existent dans le marché. Ils sont, cependant, souvent trop sophistiqués pour les besoins des gestionnaires-usagers.

Il n'est pas nécessaire de tenter de suivre le déroulement de toutes les tâches reliées au projet et d'y lier la gestion des ressources. Il est suffisant, et déjà très exigeant, de se concentrer sur le suivi des étapes jalons qui auront une répercussion importante sur l'avancement du projet. Il est donc recommandé de limiter la gestion du temps du projet aux premiers niveaux stratégiques pour satisfaire d'abord les décideurs.

5.2.1 La collecte des données

Comment établir l'échéancier stratégique de son événement ? Pour bâtir stratégiquement l'outil de gestion de temps, il faut d'abord recueillir les données nécessaires au suivi recherché (niveaux stratégiques). Ces ingrédients de base sont faciles à répertorier si le projet a été bien défini et si la structure organisationnelle du projet a été clairement établie au préalable. Dans le cas contraire, l'exercice provoque inévitablement de longues discussions.

TABLEAU 5.5

L'ÉCHÉANCIER STRATÉGIQUE D'UN ÉVÉNEMENT

ÉTAPE JALON	DATE DE DÉBUT	DATE DE FIN	RESPONSABLE	DÉCIDEUR

1. Établir les étapes jalons pour chaque champ de responsabilité.

2. Dater le début et la fin de chaque étape jalon.

3. Assigner un seul responsable par étape jalon.

4. Désigner les décideurs pour chaque étape jalon.

• *Les étapes jalons*

Une étape jalon est une activité jugée capitale pour l'avancement du projet et dont la répercussion est habituellement multisectorielle.

Déterminer les étapes jalons du cycle de vie de son projet consiste à établir les échéances importantes et à les compiler. Chaque gestionnaire définit les décisions cruciales (dates décisionnelles) ou les opérations d'envergure (dates charnières) qui devraient se dérouler à un moment ou à l'autre dans le champ de ses responsabilités et qui auront des répercussions marquantes sur l'avancement du projet.

Une date décisionnelle situe dans le temps une prise de décision significative pour l'avancement du projet. Une date charnière renvoie à une activité ou à une opération qui est importante à réaliser et qui déborde souvent sur plu ieurs directions (répercussion multisectorielle). On confond souvent les deux, c'est pourquoi il convient de bien les distinguer.

Un bon exemple est la date de la conférence de presse du lancement de l'événement. Même si elle est sous la responsabilité de la direction des communications, sa répercussion est considérable dans toute l'organisation en raison de l'information dévoilée (lieu et date de l'événement, programmation, commanditaire, matériel promotionnel, etc.). Le

151

jour même de cet événement important, tout le monde travaille fort, mais personne ne décide quoi que ce soit. Toutes les décisions en ce qui concerne la date et le lieu du lancement, le scénario et les contenus des communiqués auront été prises antérieurement. Une conférence de presse est une date charnière pour toute l'organisation et non une date décisionnelle.

Le directeur des communications pourrait, par exemple, résumer ainsi les étapes jalons de la conférence de presse de lancement :

- Adoption du projet (scénario, ressources, budget, etc.)

- Adoption du contenu (communiqués, etc.) et révision du projet

- Envoi des invitations

- Confirmation des présences

- Simulation

- Exécution

- Évaluation

Bien sûr, on pourrait allonger sans fin la liste des détails que comporte la tenue d'une simple conférence de presse. C'est le piège à éviter. Restez concentré sur les dates décisionnelles (adoption du projet et du contenu, etc.) et sur les dates charnières (envoi des invitations, exécution, etc.). Ce sera suffisant pour assurer un suivi stratégique de cette opération.

Compilez tous ces temps forts du déroulement idéal du projet. Vous aurez ainsi bâti rapidement l'armature de votre échéancier stratégique.

❖   ❖

Être maître de son événement commence par la maîtrise du suivi des étapes jalons du cycle de vie de son projet.

❖   ❖   ❖   ❖   ❖   ❖   ❖   ❖

• *La date du début*

La date du début est l'échéance prévue pour commencer l'exécution de l'étape jalon.

La date du début de l'étape jalon est une donnée indispensable pour tout gestionnaire responsable qui désire bien planifier son travail et celui de son équipe.

• *La date de la fin*

La date de la fin est l'échéance prévue pour terminer l'exécution de l'étape jalon. La date de la fin de chacune des étapes jalons est indispensable pour assurer un suivi stratégique. Le décideur est beaucoup plus sensible aux échéances finales (date de la fin) à respecter qu'à la mise en place des opérations (date du début).

• *Le responsable*

Le responsable est le gestionnaire de qui relève l'accomplissement de l'étape jalon et à qui on se réfère pour en assurer le suivi.

Désigner un seul responsable par étape jalon constitue le cœur du suivi stratégique recherché. Faites l'exercice et vous verrez que chaque gestionnaire responsable cherchera à partager avec ses collègues le stress de l'échéance : « Oui, je suis responsable, mais Pierre, Jean, Jacques y travaillent aussi très étroitement. » Il ne faut pas confondre le rôle d'une personne-ressource et celui du responsable. Une personne-ressource participe à un moment donné, pour une raison ou pour une autre, dans l'accomplissement de l'étape jalon. Le responsable doit s'assurer que tout se réalise dans les limites fixées et il doit en rendre compte à une autorité désignée.

Bien qu'il ne soit pas recommandé d'ajouter à l'échéancier les ressources engagées, il est parfois nécessaire de le faire pour sécuriser tout le monde. En tel cas, la colonne « Ressource » est ajoutée à titre indicatif seulement, et non pas pour alourdir le suivi de l'échéancier stratégique.

ÉTAPE JALON	DATE DE DÉBUT	DATE DE FIN	RESPONSABLE	DÉCIDEUR	RESSOURCE

• Le décideur

Le décideur est le premier niveau d'autorité désigné à qui on devra se référer en cas de décision.

Alors qu'il ne doit y avoir qu'un seul responsable par étape jalon, il n'est pas rare de rencontrer plus d'un décideur dans la même étape. Le premier niveau d'autorité désigné doit connaître les limites de son pouvoir décisionnel et il devra souvent le partager avec d'autres collègues ou, encore, se référer à un niveau supérieur selon la nature de la décision.

Quand le temps est venu de prendre une décision, le responsable doit s'adresser à la bonne personne, au bon moment, sans hésiter. Si cette règle du jeu n'est pas établie clairement au départ, il perdra un temps précieux à se retrouver dans la confusion des jeux de rôles avant d'obtenir la décision attendue.

Voilà qui résume l'entrée des données nécessaires pour établir l'échéancier stratégique du projet. Les données obtenues devront être traitées habilement et différemment selon les usagers. Tant mieux si vous avez accès à un logiciel de gestion du temps, sinon armez-vous de patience pour compiler et traiter ces données. N'oubliez pas que, à l'étape de la planification, vous avez encore le temps de vous démêler sur papier. Plus tard, dans le feu de l'action, il sera peut-être trop tard pour réagir.

On aura compris que cette forme d'échéancier stratégique peut permettre une décomposition plus détaillée des tâches. Il revient à chaque gestionnaire d'ajouter des niveaux de suivi opérationnel selon le besoin d'encadrement de son équipe.

5.2.2 Le traitement des données

Presque tout est interrelié dans la gestion d'un projet. Le retard de l'un provoque un effet chez l'autre, ce qui entraîne des délais additionnels, et ainsi de suite. Le temps ne s'achète pas, mais il faut bien en trouver quelque part. Quand on a épuisé ses réserves de temps, on puise chez le voisin, souvent à l'insu de celui-ci, qui se retrouvera devant un fait accompli. C'est un cercle vicieux.

◆　　◆

Le respect des échéances du projet est un bien plus grand défi que l'instauration de l'outil de gestion du temps.

◆　◆　◆　◆　◆　◆　◆　◆

Comment suivre son échéancier? Il faut simplement tenir à jour les données compilées : c'est la seule façon de rentabiliser votre effort de planification. Malheureusement, l'exercice s'arrête souvent en cours de route faute de temps pour l'actualiser. En tel cas, l'outil perd rapidement sa crédibilité aux yeux des gestionnaires. L'effort de planification du début aura été vain.

Les rapports de gestion du temps permettent un suivi proactif de l'avancement du projet. Bien des formes de rapports de suivi pourront être produites à partir des données compilées. Le logiciel de gestion du temps doit offrir la flexibilité de produire ces rapports selon les circonstances et selon les besoins des usagers.

• *Le rapport synthèse*

ÉTAPE JALON	DATE DE DÉBUT	DATE DE FIN	RESPONSABLE	DÉCIDEUR

Il s'agit du rapport complet des étapes jalons généralement compilées par direction. Ce rapport reproduit les sous-cycles de vie du projet par famille (direction-responsabilités-tâches). Il est un guide de référence utile pour le gestionnaire qui désire avoir une vue d'ensemble des responsabilités dont il a la charge.

Ce rapport synthèse peut aussi être traité globalement en intégrant les étapes jalons de toutes les directions pour donner aux dirigeants une vue d'ensemble stratégique du cycle de vie de tout le projet.

• *Le rapport par date*

ÉTAPE JALON	DATE DE DÉBUT	DATE DE FIN	RESPONSABLE	DÉCIDEUR

Il s'agit du rapport chronologique des étapes jalons du projet compilées par la date de son choix : la date du début, la date de la fin ou une date déterminée. Il est le rapport de base pour assurer le suivi de l'avancement du projet. Source de référence toujours utile, il permet de voir le projet en continuité pour une période limitée et de revoir chronologiquement le cycle de vie du projet.

Par exemple, assurer chronologiquement le suivi pour une période de trois mois permet de réviser le mois précédent, de suivre le mois courant et de voir venir le mois suivant. C'est là une gestion préventive et non curative du suivi du temps du projet.

• *Le rapport par intervenant*

ÉTAPE JALON	DATE DE DÉBUT	DATE DE FIN	RESPONSABLE	DÉCIDEUR

Le rapport par responsable permet d'assurer un suivi personnalisé de l'ensemble des étapes jalons assignées à un même intervenant pour une période donnée. Il s'agit du rapport le plus utile pour tout gestionnaire qui désire bien planifier son travail.

Le rapport par décideur permet d'avoir rapidement une vue d'ensemble des dates décisionnelles du projet. Il regroupe les étapes jalons assignées aux autorités décisionnelles supérieures (ex. : CA, CE) ou aux dirigeants (ex. : par directeur).

On peut évidemment obtenir un rapport plus complet pour un même intervenant en regroupant toutes les étapes jalons sur lesquelles ce dernier devra agir comme responsable ou comme décideur. Ce dernier aura ainsi une vue d'ensemble complète des échéances qu'il devra respecter.

• *Le suivi des rapports*

On pourrait, sans trop d'effort, sophistiquer la forme de ces rapports de suivi (ex. : par marché). Disons simplement que certaines vues sont plus stratégiques et d'autres plus opérationnelles. Ces rapports de gestion du temps automatisés devront permettre un suivi du cycle de vie du projet selon le degré de profondeur recherché par les décideurs et les réalisateurs à partir de données communes.

Peu importe sa forme, le rapport doit être l'unique instrument de mesure du temps pour tous les membres de l'organisation (concepteurs, décideurs, réalisateurs et collaborateurs). Les différents rapports automatisés sont habituellement lourds et rébarbatifs pour les usagers. Prêtez attention à l'aspect visuel de ces rapports pour qu'ils deviennent attirants et faciles d'utilisation.

Le suivi de l'échéancier stratégique doit être assumé par des personnes en autorité qui prévoient régulièrement des temps de révision. Or, la pratique courante est d'en confier la charge à un assistant ou au personnel de secrétariat qui, de par leurs positions non stratégiques dans l'organisation, ne sont pas en mesure de faire un suivi critique.

La mécanique de suivi et de mise à jour de l'échéancier est importante, mais l'analyse stratégique de ces contenus est cruciale pour assurer l'avancement du projet. De là la nécessité de former une équipe forte de planificateurs du temps en position d'autorité, lesquels deviendront des relais partout dans l'organisation. Comprenons-nous bien, il ne s'agit pas ici d'augmenter indûment les effectifs du projet aux seules fins du suivi de l'échéancier. Il s'agit plutôt d'intégrer la gestion du temps à la fonction de tous les gestionnaires dans l'organisation, au même titre que l'argent. La responsabilité de la gestion du temps doit être centralisée en haut de la pyramide organisationnelle et son suivi décentralisé jusqu'en bas. Le succès du suivi de l'échéancier repose autant sur la crédibilité de la personne qui en a la charge que sur l'efficacité de l'outil.

En cas de conflits d'horaire ou de repérage d'un aspect problématique (ex. : manque de ressources), les centres de gestion pourront servir de lieu de concertation pour suivre l'avancement du projet et réajuster le tir s'il y a lieu. Le tableau 5.6 donne une vue simplifiée du suivi stratégique proposé.

TABLEAU 5.6

LE SUIVI STRATÉGIQUE D'UN ÉVÉNEMENT (EXEMPLE TYPE)

PHASE	ÉTAPE JALON	DATE DE DÉBUT	DATE DE FIN	RESPONSABLE	DÉCIDEUR
Orientation	Adoption de l'orientation du projet	1er novembre 1999	1er novembre 1999	Directeur général	Conseil d'administration
Exploration	Dépôt des études et recommandations	1er décembre 1999	15 décembre 1999	Tous les directeurs	Directeur général
Conception	Adoption du projet	15 janvier 2000	15 janvier 2000	Directeur général	Conseil d'administration
Conception	Adoption du budget de départ	15 janvier 2000	15 janvier 2000	Directeur, administration	Conseil d'administration
Planification	Planification des ressources humaines et matérielles	15 janvier 2000	15 février 2000	Tous les directeurs	Directeur, administration
Planification	Adoption du budget	15 février 2000	15 février 2000	Directeur, administration	Conseil d'administration
Planification	Choix des ressources	15 février 2000	30 mars 2000	Tous les directeurs	Directeur, administration Directeur général
Planification	Présentation du projet révisé	30 mars 2000	30 mars 2000	Directeur général	Conseil d'administration
Production	Confirmation des ressources	1er avril 2000	15 avril 2000	Directeur, administration	Directeur, administration
Production	Mise en place des équipes de travail	1er avril 2000	30 avril 2000	Tous les directeurs	Tous les directeurs
Production	Rapport d'étape	30 avril 2000 30 mai 2000 30 juin 2000	30 avril 2000 30 mai 2000 30 juin 2000	Tous les directeurs	Directeur général
Production	Mise au point finale	1er juillet 2000	15 août 2000	Tous les directeurs	Directeur général
Production	Conférence de presse	23 juillet 2000	23 juillet 2000	Directeur, communications	Directeur, communications
Diffusion	Montage	16 août 2000	18 août 2000	Directeur, logistique	Directeur général
Diffusion	Répétitions	18 août 2000	19 août 2000	Régisseur	Directeur, programmation
Diffusion	Exécution	20 août 2000	25 août 2000	Régisseur	Directeur général
Diffusion	Démontage	25 août 2000	28 août 2000	Directeur, logistique	Directeur général
Évaluation	Dépôt du rapport d'évaluation Dépôt du bilan financier	30 septembre 2000 30 octobre 2000	30 septembre 2000 30 octobre 2000	Tous les directeurs Directeur, administration	Directeur général Conseil d'administration
Évaluation	Remerciements	1er septembre 2000	30 octobre 2000	Tous les directeurs	Directeur général

159

5.3 Une démarche d'implantation

L'approche présentée dans ce chapitre vise une emprise sur la gestion du temps d'un événement. L'implantation de cet outil de gestion exige que l'on y consacre les ressources et le temps requis. Il s'agit d'un long processus de sensibilisation et d'expérimentation qui doit se faire direction par direction et pas à pas.

• *La désignation des personnes clés*

D'entrée de jeu et tout au long du projet, les dirigeants (équipe de direction) doivent s'engager à fond dans cet exercice de la planification et du suivi du temps du projet. Sans eux, le projet d'instaurer un outil de gestion du temps dans l'organisation est un projet mort-né ; ils sont les maîtres du temps. Il est de leur responsabilité de mettre en place les ressources pertinentes pour suivre proactivement l'avancement du projet.

• *La collecte des données*

L'équipe des planificateurs du temps procède à la collecte des données de base pour établir les sous-cycles de chacune des directions. Ces données doivent être compilées selon un cadre de référence uniforme (étape jalon, date de début et de fin, responsable, décideur) pour faciliter plus tard leur traitement à l'aide du logiciel choisi. À la fin de cette étape, le cycle de vie du projet aura été établi.

• *L'adoption du cycle de vie du projet*

Cette première ébauche du cycle de vie du projet fait l'objet d'une mise en commun entre les dirigeants. Une fois le consensus établi sur le déroulement idéal du projet, il est largement diffusé dans l'organisation. Sans consensus des têtes dirigeantes, ce cycle de vie ne sera pas crédible aux yeux de l'organisation et ne sera jamais respecté.

• *L'établissement des besoins et le choix du logiciel de gestion*

Maintenant que l'on connaît le cycle de vie du projet, il est utile de connaître les besoins de suivi des usagers potentiels : « Quels sont les renseignements qu'ils recherchent pour bien planifier leur temps et quelle forme doivent prendre ces renseignements ? » La définition de ces besoins vous guidera dans le choix du logiciel de gestion du temps. Les fonctions du logiciel doivent s'adapter aux besoins des utilisateurs et non l'inverse.

• *La mise en place de l'outil de gestion du temps*

La mise en place de l'outil informatisé de gestion du temps demande un temps d'apprentissage et de pratique pour tous les gestionnaires. Il est plus sage de respecter leur rythme et de leur offrir une formation et un soutien technique. Les bousculer pour rendre l'outil efficace trop rapidement entraîne inévitablement de la tension chez les gestionnaires qui se sentent contrôlés abusivement ou dépassés par l'outil. Soyez patient.

• *L'expérimentation de l'outil de gestion du temps*

Dès l'instauration de l'outil de gestion du temps, prévoyez une période de révision connue de tous afin de canaliser les résistances de parcours. Faites bien comprendre à tous les usagers que ces premiers mois d'expérimentation sont consacrés à tester l'outil qui sera révisé et ajusté au besoin. Cela facilite l'expérimentation en cours. Il est impensable qu'un outil de gestion du temps soit satisfaisant du premier coup.

Ce n'est qu'après cette période d'expérimentation que vous pourrez véritablement commencer le suivi stratégique du projet.

• *L'utilisation de l'outil de gestion du temps*

L'outil de gestion du temps idéal est un guide de référence convivial, qui se rapproche de la liste des priorités notées dans les agendas sophistiqués d'aujourd'hui. Le suivi de l'échéancier sera plus facile si le format des rapports se rapproche d'un aide-mémoire utile et non d'une feuille de contrôle gênante.

• *La révision de l'outil de gestion du temps*

Bravo si vous avez franchi avec succès les étapes précédentes ! Vous avez donc instauré la gestion stratégique du temps au sein de votre organisation. Tout ce beau travail de planification peut cependant devenir obsolète s'il n'est pas, au moins une fois l'an, amélioré et actualisé tant sur le plan du contenu (cycle de vie du projet) que sur celui du contenant (applications du logiciel).

❖ ❖

Mettre en place un outil de gestion du temps
dans une organisation est un défi.
Mais maintenir son utilisation tout au long du projet
demeure le véritable enjeu.

❖ ❖ ❖ ❖ ❖ ❖ ❖ ❖

Au terme de cette démarche d'implantation, un échéancier stratégique est en place dans l'organisation. La principale critique peut venir des gestionnaires qui risquent de trouver l'outil trop global, pas assez détaillé pour leur suivi opérationnel. En fait, s'il est trop détaillé, les décideurs s'y perdent et, s'il est trop général, les gestionnaires ne s'y retrouvent pas. C'est le piège de la gestion du temps qu'il faut éviter. L'outil doit d'abord répondre aux attentes des décideurs qui feront progresser efficacement le projet par leurs décisions prises au bon moment.

Mais attention ! Cet outil informatisé de gestion, si perfectionné soit-il, n'est pas un cerveau. Il ne peut jamais remplacer le gestionnaire pour décider quelle est la meilleure des solutions en cas de conflits d'horaire. Par contre, il est en mesure de mettre en perspective les avenues de solutions et de cerner les répercussions que ses décisions peuvent entraîner sur l'ensemble du projet. C'est un aide-mémoire des temps modernes.

Ce chapitre a pu vous sembler ardu. Rassurez-vous, le moindre effort de planification est toujours largement récompensé par un meilleur rendement. Le fait d'entraîner les gestionnaires à réfléchir sur leur propre phase de réalisation (sous-cycle) et à comprendre celle de leurs collègues donne à tous un regard neuf sur le cycle de vie du projet.

Un tel exercice fait souvent émerger les zones grises de la structure organisationnelle (si elles existent encore) et permet de les clarifier. En cours de route, cet exercice aura également permis d'harmoniser le langage entre les différents secteurs d'activité, ce qui n'est pas négligeable. Trop souvent, on argumente avec conviction pour s'apercevoir que le quiproquo repose sur une incompréhension de langage entre les intervenants ou une terminologie différente entre les services.

Les discussions que provoque inévitablement ce genre d'exercice entraînent inévitablement une meilleure compréhension du projet dans son ensemble.

La clé du succès est de mettre en place un outil de gestion du temps souple qui colle aux pratiques de gestion et à la culture de l'organisation, un outil aidant et non dominant pour suivre stratégiquement le cycle de vie de son événement.

La gestion stratégique du temps contribuera, à coup sûr, à l'amélioration du rendement de l'organisation, de la rentabilité de l'entreprise et de la qualité de la vie professionnelle de chacun.

C O M B I E N   ?

Décentraliser le pouvoir de l'argent
sans en perdre le contrôle

CODE	TITRE	BUDGET ORIGINAL DU PROJET (date)	BUDGET ORIGINAL DU PROJET (date)	RÉSULTATS PÉRIODE DU ___ AU ___	PRÉVISIONS PÉRIODE DU ___ AU ___	TOTAL PÉRIODE DU ___ AU ___	ÉCART

L'argent demeure le nerf de la guerre. D'abord, il faut en trouver suffisamment, puis il faut savoir gérer ces sommes efficacement pour réaliser le projet sans en perdre le contrôle. Ces deux responsabilités sont très différentes. La première fait appel à de bons vendeurs et la seconde, à d'habiles contrôleurs. Ce chapitre présente d'abord comment financer son événement, puis comment en assurer la saine gestion financière.

• *Où trouver l'argent ?*

Les sources de revenus d'un événement à l'autre sont à peu près toujours les mêmes. On cogne tous aux portes des gouvernements et des entreprises privées et on sollicite les consommateurs. Nous traversons une époque où l'État providence s'est retiré du financement des événements et où l'entreprise privée est de plus en plus sollicitée par les promoteurs de projets de tout acabit. Il ne suffit plus de réaliser un beau projet, dorénavant il faut être attirant « commercialement » pour les commanditaires et pour les consommateurs. Ils sont devenus dans bien des cas les principales sources de revenus de l'événement d'aujourd'hui. Autofinancer un événement est devenu toute une science et ses fondements sont présentés dans ce chapitre.

• *Comment gérer l'argent ?*

Contrairement à la gestion du temps où il existe peu d'experts et de méthodes dans l'environnement événementiel, la gestion de l'argent regorge de spécialistes appuyés par des méthodes comptables et des outils reconnus. Malheureusement, trop fréquemment, ils mettent en place une structure budgétaire qui perd de vue le projet sous prétexte de respecter l'entité juridique ou l'année financière. Encore une fois, il faut appliquer les principes de gestion par projet et mettre en place une gestion budgétaire qui correspond à la durée de vie du projet.

Le gestionnaire du projet et le comptable doivent faire équipe pour élaborer des outils de gestion budgétaire qui collent à la réalité du projet et qui respecte les règles de comptabilité, ce que propose aussi ce chapitre.

6.1 Les sources de financement

Les bailleurs de fonds sollicités pour financer un événement sont généralement toujours les mêmes, comme l'illustre le tableau 6.1. Mais la nature de la demande ainsi que la relation d'affaires que l'on entretient avec eux varient selon qu'ils sont investisseurs, subventionneurs, consommateurs ou donateurs.

TABLEAU 6.1

LES SOURCES DE FINANCEMENT D'UN ÉVÉNEMENT

Les catégories	Les sources	Les demandes
Les subventions	Les gouvernements : le fédéral le provincial le régional le municipal	Une aide : une subvention spéciale un programme normatif une aide technique
Les commandites	Les entreprises privées : les sociétés les industries les commerces les professionnels	Un investissement : en argent en services en biens en promotion
La commercialisation	Le consommateur : le public participant le public en général	Une vente au détail : le prix d'entrée les produits dérivés les produits édités la restauration
La collecte de fonds	Les donateurs : les membres (s'il y a lieu) un public ciblé	Une activité-bénéfice : une campagne annuelle un événement spécial une loterie, etc.
Autres	Les institutions financières	Un revenu : les intérêts bancaires les taux de change

6.1.1 Les subventions

Une subvention est une aide financière (parfois technique) offerte par un gouvernement selon certaines normes à respecter pour encourager un événement à se réaliser.

Dans le magazine *Festivals et Attractions* (vol. 23, n° 4, automne 1998), on présente un tableau sommaire des subventions offertes par les gouvernements du Canada et du Québec pour 1998 et 1999. On y trouve, entre autres, des programmes de soutien à l'emploi et des programmes d'aide financière pour les attractions touristiques, pour les manifestations culturelles ou pour les activités de loisirs.

De moins en moins de subventions spéciales sont données pour soutenir les événements d'envergure, comme c'était fréquemment le cas dans les années 1970-1980. L'enveloppe discrétionnaire des députés a aussi pratiquement disparu. L'organisateur d'événement doit se rabattre sur le peu de programmes normatifs (normes prédéfinies) qui existent encore. Il est étonnant de noter que plus de la moitié de ces programmes d'aide gouvernementale exigent toujours le statut d'organisme à but non lucratif pour qu'on y ait droit. Or, l'organisateur d'événement est appelé à fonctionner de plus en plus comme une entreprise privée pour répondre aux attentes grandissantes des commanditaires et des consommateurs. Il s'agit d'une contradiction qui est parfois difficile à vivre et que ne vivent pas les entreprises industrielles, par exemple.

À défaut de vous offrir une subvention, les politiciens se feront souvent un devoir de vous présenter à des gens influents et potentiellement investisseurs. Mais, subvention ou non, ils revendiquent leur lot de visibilité en retour de leur soutien politique. Ils aiment profiter du rayonnement de l'événement pour faire passer leur message et promouvoir leur image, ainsi que celle de la ville, de la province ou du pays qu'ils représentent. Là encore, les règles du jeu ont évolué et sont devenues plus mercantiles.

« *Montréal et les gouvernements du Québec et du Canada considèrent le Cirque du Soleil comme un ambassadeur. Le Cirque a toujours habilement évité de se trouver coincé dans une guerre de drapeaux et il a su tirer profit de cette conjoncture politique.* »

6.1.2 Les commandites[1]

La commandite est une entente d'affaires par laquelle un événement s'engage à promouvoir une entreprise privée en retour de sa contribution à la réalisation du projet.

Aujourd'hui, les entreprises désirent de plus en plus se faire remarquer dans la communauté autrement que par les traditionnelles campagnes publicitaires. Elles se tournent, entre autres, vers la commandite pour associer leurs images à des projets qui font appel à la participation, à la performance, à l'excellence, à l'émotion, etc. Cette association d'images peut avoir une répercussion d'importance pour l'entreprise commanditaire, si sa présence est habilement dosée.

La commandite d'événement offre au commanditaire la possibilité de rejoindre les consommateurs dans un environnement favorable. Le consommateur est plus réceptif quand il participe à un événement de son choix dans ses temps de loisirs. Il sait qu'il va passer un bon moment. Le consommateur apprécie que le commanditaire soutienne une activité dont il ne pourrait bénéficier autrement. En s'associant à un événement sportif, culturel, social ou humanitaire, le commanditaire voit l'image qui s'en dégage se refléter sur lui, qu'elle soit positive ou non.

Nous vivons une époque où l'avenir de l'événement commandité et celui de l'entreprise commanditaire sont si interdépendants que la réussite du projet et les activités de *sponsoring* sont désormais conditionnelles à l'établissement d'un véritable partenariat entre les deux.

---

1 Les termes *sponsoring* ou *sponsorship* sont également utilisés.

Chacun est indispensable à l'autre. Le commandité et le commanditaire doivent travailler en étroite collaboration pour le succès de l'événement dont ils seront les premiers à bénéficier.

Les professionnels du marketing ont compris l'énorme potentiel de la commandite en tant qu'outil de communication et l'intègrent dorénavant dans leur stratégie globale. Elle est devenue un puissant outil de communication de masse.

6.1.3 La commercialisation

La commercialisation, c'est l'exploitation commerciale de l'événement sous toutes formes de dérivés lucratifs. Elle invite le public participant ou le consommateur en général à financer une partie de la fête par l'achat d'un bien de consommation.

Le public participant à un événement est un consommateur captif très sollicité à qui l'on espère vendre un droit d'entrée à la porte et un petit souvenir à la sortie. Entre les deux, on s'attend à ce qu'il apaise sa faim ou sa soif sur les lieux de l'événement. Le rapport qualité-prix influencera la décision du consommateur averti. Des produits de qualité, une présentation attrayante, une approche de vente dynamique sont gages de succès.

De plus en plus, la commercialisation d'un événement rejoint les consommateurs en général par le biais d'un bon réseau de vente des produits qui évolue hors des lieux de l'événement. Ces distributeurs licenciés peuvent générer un revenu non négligeable.

TABLEAU 6.2

LES FORMES DE COMMERCIALISATION D'UN ÉVÉNEMENT

La tarification : prix d'entrée, tarif de location, frais d'inscription, etc.

Les produits dérivés : vêtements, jouets, articles-cadeaux, produits périssables, etc.

Les produits édités : disques compacts, cédéroms, vidéos, livres, site Internet, etc.

La restauration : nourriture, rafraîchissements, alcool, etc.

L'exploitation de la marque de commerce de l'événement (nom, logo, éléments visuels) est devenue une avenue de financement lucrative pour un événement prestigieux et de plus en plus rentable pour l'événement en général.

Il reste encore un long chemin à parcourir pour beaucoup d'organisations événementielles afin d'intégrer cette fonction commerciale à leur pratique. Certains ont appris de leurs erreurs et réussissent à augmenter, d'une année à l'autre, la profitabilité de l'exploitation commerciale de leur événement.

À la première du spectacle de Julien Clerc à Singapour, toute la communauté francophone s'était réunie pour applaudir ce chanteur populaire. Il a eu droit à quatre ou cinq rappels, car un tel événement en français dans ce pays majoritairement chinois est chose rare. À la sortie, quelques exemplaires de son plus récent disque et quelques affiches du spectacle étaient en vente sur une toute petite table dans un coin isolé. Le climat était propice à proposer bien davantage à ce public conquis.

171

TABLEAU 6.3

LES GRANDS PRINCIPES POUR
UNE COMMERCIALISATION PROFITABLE

- Offrir au consommateur des produits attrayants et un excellent rapport qualité-prix.

- Assurer le suivi de la qualité de la conception, de la fabrication ou du choix des produits.

- Mettre à contribution les créateurs et les communicateurs de l'événement en concertation avec les distributeurs-vendeurs pour innover en la matière.

- Choisir stratégiquement les emplacements de vente sur les lieux de l'événement et les animer par des équipes de vente dynamiques qui touchent des commissions.

- Mettre en place une structure de coût-bénéfices (analyse du coût de revient) et des outils de gestion adéquats pour le contrôle des ventes et des stocks.

- Éviter autant que possible que les commanditaires distribuent gratuitement des échantillons de leurs produits de consommation sur les lieux de l'événement.

- Interdire l'accès aux vendeurs itinérants qui cherchent à vendre des produits non autorisés sur les lieux de l'événement.

- Ajouter un bon réseau de distribution de vente pour atteindre un plus large public.

6.1.4 La collecte de fonds

On appelle collecte de fonds toutes formes d'activités-bénéfices qui s'adressent à un public cible généralement connu de l'organisateur.

TABLEAU 6.4

LES ACTIVITÉS DE COLLECTE DE FONDS LES PLUS FRÉQUENTES

- **Une campagne de financement.** Ex. : la campagne de Centraide

- **Un événement-bénéfice.** Ex. : le Téléthon de Jerry Lewis

- **Une loterie autorisée.** Ex. : la loterie de la fête nationale du Québec

- **Une promotion originale.** Ex. : les cartes de souhait de la Fédération canadienne de la faune

La collecte de fonds est parfois bien décevante, car la marge de profit escomptée n'est pas toujours proportionnelle au temps et à l'énergie investis. Certains atouts sont indispensables pour réussir : un plan d'action réaliste, un réseau de contacts dynamiques et les ressources nécessaires (entre autres, beaucoup de temps !).

L'originalité, voire l'aspect inusité de l'activité, attire souvent autant que la cause que l'on soutient. Certaines activités de financement sont devenues des rendez-vous annuels à ne pas manquer.

> *En tant que président de l'Association des maniacodépressifs du Québec, Guy Latraverse, producteur de spectacles bien connu, a organisé durant plusieurs années un « No Where en autocar » qui était couru par la communauté artistique et par le milieu des affaires pour le plaisir assuré qu'ils y trouveraient, tout en contribuant au financement de l'association.*

Les donateurs ne s'attendent pas à recevoir une forme de visibilité pour leur participation, mais ils apprécient une marque d'attention comme un cadeau de participation. Soyez reconnaissant, ils vous le rendront bien.

6.1.5 Les autres sources de revenus

Une bonne gestion des sommes d'argent encaissées peut engendrer des intérêts appréciables. Ne laissez pas dormir l'argent, faites-le fructifier comme si c'était votre propre argent.

> *Combien de fois j'ai contribué au financement d'une cause, d'une association ou d'un parti politique et*

 *que mon chèque a été encaissé plusieurs semaines après l'envoi! Chaque fois, je me dis que cette organisation devrait profiter de l'occasion de tirer profit de ma contribution et de celle des autres simplement par un encaissement plus rapide. Le ministère du Revenu du Québec et Revenu Canada ont compris cela depuis longtemps!*

Certaines organisations qui évoluent sur la scène internationale peuvent également tirer d'intéressants surplus par un habile jeu des taux de change entre les différentes devises. Mais cela est évidemment une arme à deux tranchants!

6.2 La structure du financement

Avant de se lancer tous azimuts à la recherche du financement privé ou public, on doit structurer sa campagne. D'abord, on établit les revenus recherchés en fonction des besoins du projet et des sources accessibles. Puis, on détermine le statut et la visibilité qu'on offrira aux investisseurs potentiels pour les attirer.

6.2.1 L'établissement des revenus

Il n'existe pas de règle absolue pour déterminer les montants d'argent, les biens ou les services convoités, si ce n'est qu'ils devront couvrir l'ensemble des dépenses du projet. À vous de fixer des objectifs réalistes, selon les sources de revenus accessibles, pour équilibrer votre budget d'exploitation et idéalement en dégager un surplus.

Le tableau 6.5 est présenté à titre de référence et sous toute réserve. Adaptez-le aux conditions propres à votre événement.

TABLEAU 6.5

LES SOURCES DE REVENUS D'UN ÉVÉNEMENT (EXEMPLE TYPE)

Les subventions	10 %
Les commandites	20 %
La commercialisation	60 %
La collecte de fonds	7 %
Autres	3 %
Total des revenus	**100 %**

Ce tableau tend à démontrer une saine diversification entre les sources de revenus possibles pour éviter de mettre tous ses œufs dans le même panier. Toutefois, certains événements peuvent avoir un objectif de commercialisation plus élevé en raison d'une billetterie beaucoup plus importante (de 80 % à 85 % des revenus). En de tels cas, les revenus escomptés devront souvent faire l'objet d'un financement intérimaire : un financement bancaire (marge de crédit), la collaboration de fournisseurs (paiements échelonnés), etc.

Le prix de la commandite qu'il est réaliste de demander demeure une grande question que se posent bon nombre d'organisateurs et dont la réponse nécessite réflexion et analyse. Essentiellement, certains facteurs viennent influer sur le prix de la commandite : la réputation de l'événement, la nature et la qualité des activités, le taux de participation visé et le profil de la clientèle, le plan de marketing et l'offre de visibilité, la concurrence et le contexte économique, etc.

« *Après des semaines de tergiversations sur le prix à demander aux commanditaires d'un événement régional, je propose au conseil d'administration de viser deux commanditaires principaux à 25 000 $, plus une série de commanditaires d'activités à prix varié. « Pourquoi ? » me demandèrent-ils en chœur. « Parce que je pense que 40 000 $, c'est trop cher et 20 000 $, c'est pas assez ! » Faute d'analyse accessible et d'habitudes dans la région, il fallait bien arrêter de discuter et procéder. Finalement, on a signé avec cinq commanditaires principaux pour un montant de 25 000 $ chacun (ce qui a entraîné des complications sur le plan de la visibilité accordée). Quelques semaines plus tard, toujours en quête de financement, j'ai rencontré un marchand de viande local à qui j'ai demandé 2500 $ pour soutenir une activité populaire. « Écoute, mon jeune, me dit-il, quand tu auras été chercher 25 000 $ chez le grossiste en face, tu reviendras me voir. » Sourire en coin, je lui répondis : « C'est déjà fait. » En effet, le grossiste en question était l'un des cinq commanditaires principaux confirmés. Je suis ressorti avec la commandite de 2500 $. Il faut viser juste selon le marché. Qui sait si l'on aurait pu demander davantage aux commanditaires ? Chose certaine, il vaut mieux avoir en poche cinq fois 25 000 $ que zéro fois 50 000 $!* »

6.2.2 Le statut de l'investisseur

Les bailleurs de fonds qui soutiennent le projet se regroupent selon l'importance et le type de leur contribution dans des catégories distinctes d'investisseurs.

Aux fins de la présentation qui suit, on appelle **commanditaire** (ou *sponsor*) toute entreprise qui contribue financièrement ou autrement à la réalisation de l'événement et **subventionneur** toute participation d'un gouvernement. Cela facilite la compréhension des rapports à établir avec eux.

Toutes les entreprises commanditaires ou tous les gouvernements subventionneurs cherchent à rentabiliser leur investissement en maximisant leur présence sur les lieux de l'événement et dans toute action et matériel promotionnels reliés à l'événement. Le promoteur du projet, en leur accordant un statut, doit leur proposer un partage de la visibilité qui soit attrayant, équitable et non conflictuel.

Les catégories d'investisseurs (statut accordé) que l'on trouve couramment dans le cadre d'un événement sont les suivantes : le commanditaire principal, le commanditaire majeur et les commanditaires et fournisseurs officiels.

• Le commanditaire principal

L'investissement substantiel du commanditaire principal (ou présentateur de l'événement) porte sur l'ensemble de l'événement. Il est habituellement unique et son nom est toujours associé à la présentation de l'événement. Ce commanditaire principal a droit à une large visibilité sur l'ensemble des actions et du matériel promotionnels (nom, logo, mention) entourant l'événement.

La marque de commerce du commanditaire est souvent intégrée au nom de l'événement comme L'International Benson & Hedges, nom officiel de la compétition annuelle des feux d'artifice de Montréal. Cela incite les médias à véhiculer le nom du commanditaire dans toute forme de communication, un atout fort apprécié des commanditaires.

« *Pionnier et innovateur dans sa façon de promouvoir ses commanditaires, le Festival Juste pour rire a été l' un des premiers événements culturels à incorporer le nom de son commanditaire au nom de l'événement en 1990 : Le Festival Bell Juste pour rire. Je me souviens de la réunion où le*

président du festival testait la réaction de ses principaux lieutenants par rapport à cette innovation. Certains puristes firent objection : « On ne vend pas son âme ainsi ! » Le président, en bon visionnaire, a quand même procédé. Je le revois portant habilement son t-shirt qui affichait BELL en lettres bleues, en plein dans la mire des caméras au cours de ses communications télévisées. Le taux de pénétration du message de ce commanditaire a atteint des sommets iné- galés. L' effet a été tel que le Festival a vécu des problèmes de positionnement vis-à-vis des autres commanditaires. Bell était devenu le propriétaire de l' événement.

• Le commanditaire majeur

Un commanditaire majeur (ou collaborateur) est une entreprise privée qui, sans être le commanditaire principal, exige un traitement particulier de par l'importance de sa contribution. C'est une comman- dite de nature exceptionnelle qui a droit à une visibilité taillée sur mesure : « Le Festival Bell Juste pour rire, en collaboration avec Labatt Bleue, présente... »

Parfois, on trouve les subventionneurs dans cette catégorie. Ils aiment voir leur logo bien positionné sur l'affiche et apprécient un contact direct avec le public (mot d'ouverture, soirée spéciale, etc.).

À une certaine époque, durant les préparatifs des Fêtes du 350ᵉ de Montréal, l' équipe en place désirait par tous les moyens se dissocier de l' image de la ville pour agir plus librement. Or, la ville de Montréal était justement

178

l' objet de ces célébrations et, par surcroît, elle avait consen-
ti 14 millions de dollars sur un budget visé de 45 millions. « Si
j' étais le promoteur privé de cet événement commémoratif
et que j' avais décroché une commandite de 14 millions, je
ferais tout pour rendre ce commanditaire heureux», ai-je
lancé au cours d' un débat sur la question. La pire chose à
faire était certainement de chercher à s' en dissocier. Des
comités conjoints de communication ont été mis en place par
la suite pour développer une plate-forme commune et offrir
au maire de la ville une présence importante tout au long des
célébrations. La ville de Montréal et son maire devaient être
les premiers bénéficiaires de la fête.

• *Les commanditaires et les fournisseurs officiels*

À ce titre, il existe de nombreuses variantes. La visibilité de ces commanditaires ou fournisseurs officiels se limite à toute promotion ou publicité entourant la nature de leur investissement : une activité, un lieu, un service ou un bien. On peut trouver, dans cette catégorie, un commanditaire qui soutient une activité (ex. : les concerts Du Maurier) ou un lieu (ex. : la scène Budweiser) ou encore un fournisseur qui offre un service (ex. : Air Canada, le transporteur officiel). Commanditaires officiels et fournisseurs officiels se retrouvent dans cette même catégorie.

Le fournisseur officiel pourra en plus s'afficher sur le bien ou sur le service qu'il commandite. Attention, toutefois. Cette visibilité peut souvent diluer considérablement la présence des autres et créer un mécontentement justifié. Par sa participation, le fournisseur officiel doit combler un besoin du projet pour diminuer une dépense réelle et non simplement ajouter une plus-value non recherchée. Tous les organisateurs d'événements ont des exemples à profusion de commandites de biens ou de services qui, en bout de ligne, se sont avérées plutôt un moins qu'un plus.

≪ À titre de commanditaire officiel, Ford Canada a fourni, entre autres, au Comité organisateur des Célébrations du 350e anniversaire de Montréal, une quarantaine de véhicules blancs flambant neufs, avec leur logo et celui des fêtes. Cette commandite débordait largement les besoins de transport estimés à un montant maximal de 9000 $ au budget pour une seule voiture de fonction pour le président. Or, cette commandite non prévue a entraîné une dépense additionnelle de plus de 50 000 $ pour l'entretien, l'immatriculation, les assurances et les réparations de ces véhicules. Il va de soi qu'un véhicule aux couleurs du commanditaire doit être propre et en bon état en tout temps, ce qui est souvent la responsabilité du commandité. Et ce, sans parler des difficultés de la gestion d'un tel parc d'automobiles. Tout à coup, tous les travailleurs du comité des fêtes avaient besoin d'un véhicule de fonction, alors que la majorité en possédait déjà un. Heureusement, la commandite de Ford comprenait aussi un montant substantiel en argent. ≫

≪ Autre exemple : un fournisseur local avait pris l'initiative d'offrir des agendas aux couleurs d'un événement commémoratif régional. « Très gentil, merci beaucoup. » Cela ajoutait sans frais un élément promotionnel. Or, les 500 agendas sont arrivés en mars ! On a dû faire des pieds et des mains pour distribuer intelligemment ces fameux agendas dont plus personne ne voulait, alors qu'on en avait plein les bras à préparer l'événement qui commençait en mai. ≫

6.2.3 La visibilité offerte

Quand on parle de visibilité, tout organisateur pense naturellement à l'affichage des fameuses bannières sur les lieux de l'événement. Le commanditaire demande sa présence sur la scène et l'organisateur tente de restreindre sa présence aux côtés de la scène. C'est là une approche dépassée et limitative de considérer la visibilité du commanditaire.

D'autres façons de faire ont prouvé leur efficacité depuis. La liste non exhaustive du tableau 6.6 présente sommairement les avantages généralement consentis aux commanditaires en échange des droits payés pour s'associer à l'événement.

TABLEAU 6.6

LA VISIBILITÉ OFFERTE AU COMMANDITAIRE
(à partager selon le statut accordé à l'investisseur)

- L'exclusivité d'association dans le secteur d'activité du commanditaire

- L'obligation pour le commandité de communiquer le nom ou le logo du commanditaire dans la promotion et la communication de l'événement

- L'obligation d'afficher le nom ou le logo du commanditaire sur les lieux et sur le matériel promotionnel de l'événement

- L'autorisation au commanditaire d'utiliser le logo, le nom, l'image de l'événement dans sa propre promotion et ses communications d'affaires

- Le premier droit de refus accordé au commanditaire comme annonceur publicitaire pour les retransmissions télévisées de l'événement

- La possibilité pour les fournisseurs officiels de s'afficher sur les produits ou services fournis

- Des billets de courtoisie, un traitement VIP et autres privilèges accordés au commanditaire pendant l'événement

Adaptation libre de *Le sponsoring international*, sous la direction de Vincent Fisher, Boréal, 1994 (p. 40-41).

Faites d'abord la liste de toutes les formes de visibilité qu'il est possible d'offrir dans le contexte de votre événement. Estimez ces données selon la valeur du marché et tentez d'offrir au moins trois ou quatre fois la valeur de la contribution de l'investisseur (1 $ investi par le commanditaire devrait lui donner 3 $ ou 4 $ en valeur ajoutée), ce qui est une norme fort acceptable (deux ou trois fois peuvent suffire parfois).

Toutefois, ce calcul de la valeur de la visibilité est relatif, car il arrive parfois que d'autres intérêts propres à l'entreprise commanditaire soient en jeu et soient aussi importants. Une entreprise peut trouver dans votre événement l'occasion de tester un nouveau produit, d'ouvrir un nouveau marché ou de brasser des affaires. Le commanditaire qui accueille ses invités à la salle VIP un soir de première offre un contexte sympathique à ses clients, à ses collaborateurs, à ses employés, voire aux médias pour faire des affaires différemment.

Tout commanditaire d'événement compte aussi sur les retombées médiatiques pour rentabiliser son investissement (chacun a élaboré ses méthodes internes pour en mesurer la répercussion). Plus rapidement la couverture médiatique de l'événement est confirmée (placement-médias, contrats d'échanges, émissions spéciales, etc.), meilleures sont les chances d'obtenir les commandites convoitées.

Un autre bénéfice important pour le commanditaire d'un événement prestigieux est le droit d'utiliser le nom, le logo et l'image de l'événement à ses fins promotionnelles. Les commanditaires officiels des Jeux olympiques devront payer des dizaines de millions de dollars pour obtenir le droit d'afficher les anneaux dans leurs publicités.

Par ailleurs, la nature des commanditaires et leur nombre est un élément important que toute entreprise sollicitée veut connaître avant de s'engager. Elle n'appréciera pas que son image soit diluée dans une « pizza de logos » sur l'affiche.

Il est acquis aujourd'hui qu'un commanditaire averti double sa mise de fonds pour promouvoir lui-même sa commandite dans ses communications d'affaires et autres activités promotionnelles taillées sur mesure pour sa clientèle (ex. : les concours). Il ne se fie plus uniquement aux communicateurs de l'événement pour faire valoir sa participation. Tant qu'à payer un droit d'association à l'événement, il veut l'exploiter au maximum.

Finalement, tous les éléments de visibilité offerts selon le statut accordé à l'investisseur doivent être clairement précisés dans une politique de commandite (ou structure de commandite). Cette politique, communiquée à chaque investisseur potentiel, sécurise autant le commandité que le commanditaire.

6.2.4 Une entente d'affaires

> Une entente de commandite est un contrat d'affaires entre deux entreprises.

On voit de plus en plus apparaître, dans les contrats de commandite, une clause de garantie d'achalandage qui oblige le commandité à rembourser certaines sommes au commanditaire si le taux de participation visé n'est pas atteint. Alors, c'est sérieux, il faut d'abord signer ce que l'on a vendu et livrer ce que l'on a signé.

Le protocole d'entente confirme par écrit tout ce qui a été promis de part et d'autre et définit clairement les obligations de chacun. Rien ne doit être laissé au hasard. Soyez précis quant aux échéances des obligations à être rendues et des paiements à recevoir. Ceux-ci peuvent être échelonnés sur plusieurs trimestres pour faciliter l'atteinte des objectifs du commandité, tout en respectant les limites financières des commanditaires.

Le tableau 6.7 présente un sommaire des éléments contenus dans un protocole d'entente qui lie un commanditaire et un commandité. Ne cherchez surtout pas à le densifier inutilement.

183

TABLEAU 6.7

LE PROTOCOLE D'ENTENTE
(SOMMAIRE)

ENTRE

[nom et adresse de l'organisme commandité], ci-après désigné le commandité.

ET

[nom et adresse de l'entreprise commanditaire], ci-après désigné le commanditaire.

LES PARTIES CONVIENNENT DE CE QUI SUIT :

OBJET DE L'ENTENTE :

Le commandité accorde au commanditaire le statut de (préciser) pour son investissement dans la réalisation de l'événement (préciser) pour la période (préciser) tel que défini à l'annexe I.

OBLIGATIONS DU COMMANDITÉ :

Le commandité s'engage à (préciser la visibilité, la promotion et autres privilèges accordés).

OBLIGATIONS DU COMMANDITAIRE :

Le commanditaire s'engage à (décrire la nature de la contribution et les échéances de paiement ou d'exécution, de même que certaines modalités ou conditions particulières, s'il y a lieu).

RÉSILIATION :

Les parties se réservent le droit absolu de résilier cette entente (définir les conditions et modalités pour mettre fin à l'entente).

REPRÉSENTANTS :

Aux fins de l'exécution de cette entente, les parties désignent les personnes suivantes (nommer les personnes désignées et leurs coordonnées).

CLAUSES DIVERSES :

Durée, cession, etc.

EN FOI DE QUOI LES PARTIES ONT SIGNÉ à   (ville)   **ce**   (date)

_____   _____

Titre : (préciser)   Titre : (préciser)

Pour le commanditaire   Pour le commandité

Annexe 1 : Le cadre de réalisation du projet, version du (date).

6.3 Une démarche de financement

La structure de financement établie, il reste à en confier la gestion à une équipe de vente convaincante. Elle peut prendre la forme d'un comité d'honneur formé de personnalités issues du milieu et appuyées par les membres du conseil d'administration et de la direction générale. Le résultat, on le sait, tient beaucoup à l'étroite relation que les membres de l'équipe de financement entretiennent avec les investisseurs potentiels, et à leur crédibilité dans la communauté.

Si vous en avez les moyens, profitez de l'expertise et des réseaux de contacts des experts dans le domaine. Ces agences ou professionnels spécialisés en recherche de commandites, en organisation de collectes de fonds ou en représentations gouvernementales (lobbyistes) savent comment aborder les bailleurs de fonds et cela peut augmenter vos chances de succès. Ces experts exigent un pourcentage sur les sommes encaissées qui varie entre 10 % et 20 %. Généralement, les plus efficaces demandent un cachet fixe de départ (inclus ou non dans le pourcentage établi) ou une avance pour bâtir la stratégie et préparer les documents de présentation requis.

Le suivi de l'équipe de financement est aussi important que le choix de ses membres. Parce qu'ils sont des personnalités connues et engagées dans la communauté ou des experts en financement très sollicités, les membres du comité ont des agendas très chargés. On doit souvent leur rappeler gentiment d'agir comme ils l'ont promis selon l'échéancier adopté au départ. Ce suivi ne peut se faire que par une personne en autorité et crédible à leurs yeux, ce qui tombe souvent sur les épaules du président du conseil d'administration ou de son représentant, le directeur général, par exemple.

L'organisateur d'événement doit suivre de très près toutes les démarches de financement, car il sera responsable tôt ou tard de réaliser tout ce qui a été vendu avec ou sans son consentement. Alors, ayez l'œil ouvert, car il vaut mieux intervenir au départ que de subir plus tard.

> « À l'occasion d'un événement régional que j'organisais, les membres du comité de financement étaient dangereusement en retard par rapport aux échéances. Or, ils étaient aussi les administrateurs de la corporation, donc mes patrons. Il est toujours assez gênant de dire à son patron qu'il est en retard! Alors, j'ai colorié une copie de l'échéancier selon un code symbolique : en vert pour illustrer les étapes de financement terminées, en jaune pour montrer les délais à surveiller et en rouge pour montrer les retards problématiques à corriger rapidement. L'état de la situation du financement était dévoilé devant tout le monde sans que je dise un mot. Croyez-moi, le rouge a fait bouger les responsables de ces étapes dès le lendemain. »

La structure du financement établie et le comité de financement mis en place, le temps est venu de passer à l'attaque. Et pour triompher, soyez bien armé : un bon dossier, à la bonne personne et au bon moment.

• Un bon dossier

Le dossier de présentation doit être de qualité, court et soigneusement agencé (voir tableau 6.8). Il doit être élaboré sur mesure pour l'investisseur potentiel et être convaincant. Un bon dossier de présentation expose clairement les bons arguments pour s'associer au projet, prouve la rentabilité de l'investissement et démontre la capacité de vendre et de réaliser le projet. L'offre doit aller droit au but sans détails inutiles, ce qui sera apprécié de votre interlocuteur.

TABLEAU 6.8

LE CONTENU D'UNE PROPOSITION À UN COMMANDITAIRE

- Une courte présentation de l'événement (date, lieu, thème, originalité, réputation, etc.)
- Une courte présentation du promoteur (organisme et principaux leaders)
- Le profil de la clientèle cible (participation visée, public cible, marché cible)
- La politique de commandite (description des catégories, partage de la visibilité, nombre de commanditaires visé)
- La description de la commandite proposée (avantages, statut accordé, visibilité et promotion offertes, prix demandé)
- Le sommaire du plan de marketing (promotion, publicité, relations de presse et publiques)
- Des lettres d'appui pour démontrer la crédibilité du projet et de ses promoteurs
- Une courte revue de presse si vous en avez une
- Quelques éléments visuels pour agrémenter le tout (esquisses, maquettes, photos)
- Le tout dans une pochette officielle personnalisée au nom de l'interlocuteur avec votre carte professionnelle pour le suivi

• *À la bonne personne*

Ciblez vos investisseurs potentiels en établissant au départ la liste des entreprises et des paliers gouvernementaux à solliciter en fonction du potentiel d'attraction de l'événement auprès d'eux. Analysez la stratégie de marketing et la clientèle cible de chacun pour élaborer un discours associatif. À cet égard, leur publicité fournit habituellement de bons indices (ex.: les jeunes pour McDonald's et la famille pour les Rôtisseries St-Hubert).

Repérez les personnes clés, tant les décideurs que les responsables administratifs, ainsi que leur entourage influent. Choisissez la bonne personne intermédiaire pour entrer en contact avec eux. Qui parle à qui? Faute d'intermédiaire, foncez et prenez contact directement au plus haut niveau. Le pire qui puisse vous arriver est de vous buter à une porte fermée. Alors, pourquoi ne pas risquer de l'ouvrir!

• *Au bon moment*

Commencez par passer un coup de téléphone ou envoyer une lettre pour obtenir une rencontre dans les meilleurs délais. La personne intermédiaire est très utile et vaut son pesant d'or pour établir ce premier contact. En Asie, c'est la première chose que l'on apprend à respecter si l'on veut faire des affaires : « Toujours être présenté par la bonne personne. »

L'objectif de la première rencontre est de susciter l'intérêt autour du projet sans déposer une offre formelle. Accompagné idéalement par votre intermédiaire, présentez les grands paramètres d'une éventuelle association en prenant note des commentaires de votre interlocuteur. N'hésitez pas à lui faire préciser ses intérêts ou ses résistances à l'égard de cette proposition d'association.

Le but de cette première rencontre est de connaître son client pour revenir avec une proposition d'affaires qu'il ne pourra pas refuser.

La lettre de remerciement et la relance téléphonique dans les jours qui suivent sont l'occasion de redire à votre interlocuteur ce qu'il veut bien entendre (tenir compte de ses résistances) et de confirmer la seconde entrevue.

Au cours de cette deuxième rencontre, déposez l'offre d'investissement. Votre stratégie de vente bien en tête, soyez prêt à aborder la négociation sur-le-champ. Prévoyez des scénarios de repli en cas d'un premier refus (contre-proposition). Ne perdez pas de vue que vous offrez au commanditaire potentiel une occasion d'affaires unique, alors n'adoptez surtout pas une attitude de quémandeur. Adoptez une position ferme, vivante et directe pour captiver l'attention de vos interlocuteurs. Par ailleurs, n'oubliez pas que savoir écouter est aussi important que de savoir présenter.

Bref, faites l'impossible pour que votre offre se retrouve en haut de la pile et non à la dérive parmi tous les autres projets qui cherchent désespérément du financement auprès du cercle restreint des commanditaires potentiels.

• Une bonne entente

La négociation terminée, vous avez établi les bases d'une bonne entente de partenariat qu'il faut maintenant signer.

Si l'entreprise commanditaire ne vous impose pas son modèle de contrat, prenez l'initiative de lui remettre le vôtre. Cela vous positionnera avantageusement (voir le tableau 6.7).

Dans le cas des subventionneurs, on n'a souvent pas d'autre choix que de se plier à la procédure établie. Les inévitables formulaires à remplir et les nombreux documents à fournir pour appuyer la demande de subvention font partie du lot bien connu des organisateurs.

Le respect des ententes signées entre les deux parties favorise l'établissement d'un partenariat solide sur lequel se construira la continuité de cette nouvelle association d'affaires.

• Un bon suivi

Le client a toujours raison ! Fils de commerçant, j'ai appris très jeune cette ligne de conduite. J'ai compris avec l'âge que ce n'était pas toujours vrai. Non, le client n'a pas toujours raison, mais l'important est qu'il conserve cette impression. C'est un art de s'assurer en tout temps de la satisfaction du client, tout en protégeant les intérêts du projet et de son organisation.

Ne cherchez pas à diluer ou à modifier en cours de route ce qui a été négocié et signé. Le commanditaire n'est pas dupe et réclamera son dû tôt ou tard. Bien au contraire, cherchez à maximiser les retombées escomptées. Prenez le temps de présenter régulièrement au commanditaire un rapport sur l'évolution de sa commandite (exemplaire des imprimés, revue de presse, bilan des activités). En cours de route, si l'occasion se présente, ajoutez certains avantages. Une simple marque d'attention est souvent fort appréciée des partenaires (un cadeau souvenir, une invitation spéciale, etc.). Être considéré comme un ami de la famille fait toujours plaisir à celui qui paye.

> « *Le Festival Juste pour rire s'est toujours fait un devoir d'inviter les représentants de ses commanditaires à* *la fête de remerciement de ses employés à la fin de l'événement. Cette soirée, toujours amusante et fort décontractée, est une belle occasion d'établir un contact tout à fait différent avec ces représentants, lesquels laissent volontiers tomber la cravate pour l'occasion.* »

Quand on observe les Laliberté-Gauthier (Cirque du Soleil), Rozon-Cousineau (Festival Juste pour rire), Simard-Ménard (Festival international de Jazz), on peut affirmer que les meilleurs vendeurs demeurent les promoteurs du projet, c'est-à-dire ceux qui véhiculent dans leurs veines l'« âme du projet ». Lorsque ces marchands de bonheur entrent en contact avec les bailleurs de fonds pour les faire rêver un peu, les résultats sont souvent surprenants.

Tous les organisateurs d'événements savent que financer un projet est un travail long et exigeant. Quand c'est réussi, cela vaut la peine de dépenser ces sommes avec parcimonie en mettant les priorités aux bons endroits. Une bonne gestion budgétaire et des outils de contrôle performants le permettront.

6.4 La gestion budgétaire

« Le pouvoir, c'est l'argent », comme on dit souvent. Tout patron hésite longtemps avant de partager son pouvoir de dépenser s'il ne sait pas quoi, à qui et comment déléguer. Il aura de fortes réticences à décentraliser la gestion budgétaire s'il ne sait pas où il s'en va.

◆ ◆

La décentralisation budgétaire ne peut se faire que par la responsabilisation des gestionnaires, avec pour prémisse l'accessibilité à l'information pertinente pour ces personnes.

◆ ◆ ◆ ◆ ◆ ◆ ◆ ◆

- La **décentralisation** de la gestion du budget implique que soient déterminées clairement les zones de juridiction (responsabilités) à déléguer pour éviter tout chevauchement ou omission.

- La **responsabilisation** implique la désignation d'un gestionnaire mandaté pour chaque zone de juridiction déléguée et les limites de sa responsabilité.

- L'**accessibilité à l'information** implique que chaque gestionnaire responsable puisse obtenir toute l'information financière requise pour assurer la saine gestion des zones de juridiction qui lui ont été déléguées.

Une saine gestion budgétaire repose sur une planification adéquate, sur un système de suivi rigoureux et sur la délégation des responsabilités budgétaires aux bons intervenants, qui doivent agir à l'intérieur des limites définies et avoir accès aux informations financières fiables et disponibles au bon moment.

C'est sur la base de ces beaux principes que sont présentés ci-après les outils de gestion et de contrôle budgétaires pour atteindre sans trop d'efforts la saine gestion recherchée. Ces outils sont la charte de comptes, la structure budgétaire, les rapports budgétaires, le processus budgétaire et le fameux pouvoir de signature.

6.4.1 La charte de comptes

La charte de comptes est l'armature centrale pour l'établissement de la gestion budgétaire. Encore une fois, comme c'était le cas pour la gestion du temps, la source de référence sera la charte des responsabilités : chaque responsabilité attribuée à un gestionnaire doit correspondre à un poste budgétaire. Un changement d'attribution d'une responsabilité entre gestionnaires doit entraîner le même changement dans la charte de comptes.

Cet outil sera véritablement efficace si, au-delà de la définition des catégories de revenus et de dépenses (titre, poste, nature), il indique aussi la personne responsable et le premier niveau d'autorité (décideur) à qui se référer au besoin. Comme on l'a dit pour la charte des responsabilités, il ne peut y avoir qu'un responsable par responsabilité budgétaire, même si l'on peut y retrouver plusieurs ressources. Personnaliser ainsi la charte de comptes permet de l'incarner dans l'organisation plus facilement et facilite grandement la décentralisation, car les gestionnaires s'y retrouvent beaucoup mieux.

TABLEAU 6.9

LA STRUCTURE DE LA CHARTE DE COMPTES

CODE	TITRE	POSTE	NATURE	RESPONSABLE	DÉCIDEUR
Codification alphabétique, numérique ou les deux pour le traitement des données	Désignation des directions et de leurs responsabilités	Regroupement de tâches et sous-tâches de même nature	Désignation du revenu ou de la dépense	Personne mandatée pour l'encaissement d'un revenu ou pour l'engagement d'une dépense	Premier niveau désigné pour autorisation si requis
Ex. : CO-09-04	Ex. : Communication : graphisme	Ex. : Programme : imprimés	Ex. : Imprimeries Transcontinental	Ex. : Agent de communication	Ex. : Directeur des communications

192

6.4.2 La structure budgétaire

Le budget formalise et quantifie le cadre de réalisation du projet. Ces paramètres financiers doivent être fixés tôt dans le cycle de vie du projet pour permettre de prendre les bonnes décisions avant sa mise en place. Si l'on ne sait pas au départ où le projet s'en va, il sera difficile de prévoir combien cela va coûter pour y arriver! Le budget est un outil de planification et de coordination indispensable pour toute organisation qui veut être en contrôle de son avenir.

La structure budgétaire, telle qu'elle est présentée dans le tableau 6.10, montre à la colonne B les revenus avant les dépenses et l'excédent projeté. Il est stratégique de prévoir au départ un surplus dans le cas d'organismes à but non lucratif, ou un profit dans le cas des entreprises à but lucratif. Cela témoigne d'une saine gestion préventive qui vous permettra de passer le cap d'une année à l'autre sans fermer boutique entre les deux. Il est plus difficile d'atteindre un surplus à la fin de l'événement, s'il n'a pas été planifié au départ, car toutes les occasions sont bonnes pour dépenser davantage en cours de route.

Il va de soi qu'il faut présenter les revenus regroupés selon les différentes sources de revenus (subventions, commandites, etc.). Il est évident aussi que l'on doit regrouper les dépenses par directions conformément à la structure organisationnelle. Attention de ne pas jumeler les dépenses des directions du financement et de l'administration. Ce faisant, vous éviterez de présenter des frais administratifs astronomiques et inacceptables aux yeux des bailleurs de fonds et du grand public. Pour la même raison, il est recommandé de répartir la masse salariale entre les directions. Un directeur de la programmation ne fait pas d'administration mais de la programmation, alors son salaire est une dépense de programmation.

Dans un autre ordre d'idées, pour « réinventer son projet » d'année en année, il y a un prix à payer. C'est pourquoi il est bon de prévoir un budget pour la recherche et le développement, si modeste soit-il (3 %

du total des dépenses est une norme acceptable reconnue). Les compagnies de haute technologie ont compris cela depuis longtemps.

Finalement, il ne faut pas confondre le poste de frais divers et celui de contingences. Ce sont deux réalités différentes. Le poste frais divers est un fourre-tout qui sera sûrement dépensé. Le poste contingences est une réserve pour affronter les vrais imprévus qui arriveront aussi sûrement. Si l'on veut éviter un « vrai » déficit, la marge de manœuvre réservée au budget pour contingences et imprévus ne doit surtout pas être hypothéquée au départ par des dépenses diverses prévisibles.

La colonne C du tableau 6.10 présente le budget original du projet qui correspond davantage à l'idéal recherché (premier budget approuvé). La colonne D présente le budget modifié, qui est révisé régulièrement selon l'évolution du projet. Il est plus prudent de garder à vue le budget original pour éviter de trop s'en écarter en cours de route.

Les colonnes E et F montrent la nuance importante entre un revenu encaissé et un revenu confirmé ; c'est une nuance dont il faut tenir compte au moment de l'analyse du budget. Un revenu encaissé, c'est de l'argent en banque dont on peut disposer pour agir. Un revenu confirmé, c'est de l'argent à recevoir qu'on n'a pas encore, même si une entente a été signée pour en témoigner (ex. : échéances de paiement d'une commandite).

De même, pour les dépenses, il est utile de tenir un registre différent entre les dépenses payées ou à payer pour services rendus et les dépenses engagées pour un service non rendu. En cas de réduction budgétaire, il est impossible d'annuler une dépense payée, mais il est parfois possible de le faire dans le cas de dépenses engagées (moyennant parfois une pénalité).

Quant à elle, la colonne G représente le total des colonnes E et F et donne une vue d'ensemble de la situation budgétaire à une date précise. La partie cruciale de la gestion budgétaire est certainement le suivi des écarts (colonne H) par rapport au budget alloué. Il faut toujours connaître la différence entre les revenus prévus au budget et le total des revenus encaissés ou confirmés, et entre les dépenses autorisées au budget et le total des dépenses payées ou engagées. Cette dernière colonne est celle à laquelle les décideurs sont le plus sensibles : «Être ou ne pas être à l'intérieur du budget!»

Un manque de rigueur dans l'établissement de la structure budgétaire et dans le suivi des rapports budgétaires peut entraîner la perte du contrôle financier du projet, comme nombre d'événements l'ont vécu.

6.4.3 Les rapports budgétaires

Un bon rapport budgétaire présente une vue complète des renseignements financiers utiles aux gestionnaires et leur montre clairement les enjeux qui y sont rattachés. Il est bâti sur mesure pour le projet et couvre toute sa période de réalisation. Le rapport budgétaire est différent du rapport financier (ou état des résultats), qui est compilé selon des normes comptables reconnues. Un bon logiciel comptable traite les données financières et les compare aux données budgétaires, ce qui permet de produire les rapports selon les vues recherchées (voir tableau 6.11).

Bien des organisations ont connu des mésaventures en découvrant en cours d'utilisation que leur logiciel ne permettait pas de produire tel ou tel rapport. La mise en place d'un logiciel comptable est toujours complexe et onéreuse. Le remplacement d'un logiciel comptable qui ne correspond plus aux besoins est encore plus complexe et doublement onéreux. Il est important de bien cerner les types de rapports souhaités afin de choisir le logiciel comptable approprié et il est prudent de planifier à long terme son utilisation.

TABLEAU 6.10

LA STRUCTURE DU BUDGET

CODE	TITRE	BUDGET ORIGINAL DU PROJET (date)	BUDGET MODIFIÉ DU PROJET (date)	RÉSULTATS PÉRIODE DU ___ AU ___	PRÉVISIONS PÉRIODE DU ___ AU ___	TOTAL PÉRIODE DU ___ AU ___	ÉCART
A	B	C	D	E	F	$E+F=G$	$D-G=H$
Codification à des fins informatiques		Budget adopté au départ sur la base du cadre de réalisation du projet	Budget ajusté et entériné en cours de route selon l'évolution du projet				
	REVENUS			Revenu réel dont l'argent a été encaissé	Revenu confirmé par une entente signée (mais non perçu)	Estimation des revenus encaissés ou confirmés	Différence entre le budget modifié et le total des revenus
	- Subventions						
	- Commandites						
	- Commercialisation						
	- Collecte de fonds						
	- Autres revenus						
	Total						
	DÉPENSES			Dépense payée (ou à payer) dont le service a été rendu	Dépense engagée dont le service n'est pas rendu	Estimation des dépenses payées ou engagées	Différence entre le budget modifié et le total des dépenses
	- Direction générale						
	- Financement						
	- Administration						
	- Programmation						
	- Logistique						
	- Communication						
	- Recherche et développement						
	- Divers						
	- Sous-total						
	- Contingences						
	Total						
	EXCÉDENT						

VERSION DU (DATE) VÉRIFIÉE PAR (NOM)

196

TABLEAU 6.11

LES TYPES DE RAPPORTS BUDGÉTAIRES

Par compagnie : dans le cas où plus d'une entité juridique est en jeu.

Par projet : dans le cas d'une entreprise qui gère plus d'un événement à la fois.

Par direction : pour retracer facilement les données selon la structure organisationnelle.

Par période : par mois, par trimestre, par phase, par année ou pour la durée totale du projet.

Par territoire : pour permettre un suivi par marché (ville, pays).

Par nature : pour permettre un suivi spécifique (revenus, dépenses).

Par client ou fournisseur : pour permettre un suivi personnalisé.

Par devise : selon le territoire touché.

En 1991, à l'occasion des préparatifs des Célébrations du 350ᵉ de Montréal prévues pour 1992, la direction de l'administration se faisait un devoir de remettre à chaque directeur, tous les lundis à 9 h, une mise à jour de son budget pour l'année en cours (1991). On pouvait y voir des surplus importants. Par exemple, la direction de la programmation n'avait dépensé que quelques millions de dollars sur son budget annuel de sept millions.

Heureusement, car il aurait été mal venu de dépenser tous ces millions avant la fête! Or, le budget total de la programmation était de 24 millions et le directeur mettait sur pied à grande vitesse toutes sortes d'activités dont les répercussions financières ne seraient visibles qu'en 1992-1993. Il fallait vite modifier le système du suivi budgétaire pour produire un rapport budgétaire qui refléterait toute la période du projet : 1990-1991-1992-1993. Le logiciel comptable en usage ne permettait

pas cette gestion budgétaire par projet. Il a donc fallu élaborer un outil de suivi budgétaire parallèle à l'aide d'un tableur. Doubler ainsi l'entrée des données financières n'était certainement pas idéal, mais cela était utile pour resserrer le contrôle financier des célébrations.

6.4.4 Le processus budgétaire

Le processus budgétaire est un cycle de gestion continu : planification et adoption du budget, consolidation des états des résultats, validation des données financières et budgétaires. Il doit couvrir toute la période de réalisation du projet. Le tableau 6.12 donne l'exemple d'un processus budgétaire annuel.

Tout au long de ce processus budgétaire dont elle a la responsabilité, la direction de l'administration doit s'assurer de la conformité des renseignements fournis et les modifier ou les compléter au besoin. Le budget révisé et les résultats consolidés sont présentés par la suite aux décideurs pour approbation. Ce budget devra être respecté par les gestionnaires, qui pourront proposer des ajustements en cours de route.

TABLEAU 6.12

LE PROCESSUS BUDGÉTAIRE ANNUEL *
(EXEMPLE TYPE)

Mars :	Confirmation des résultats de l'année précédente et ajustement du budget de l'année en cours
Juin :	Révision du budget de l'année en cours et ajustement
Juillet :	Planification du budget de l'année à venir
Août :	Adoption préliminaire du budget de l'année à venir
Septembre :	Révision du budget de l'année en cours et ajustement
Octobre :	Adoption du budget de l'année à venir
Novembre :	Ajustement du budget de l'année en cours aux fins fiscales
Décembre :	Compilation des résultats de fin d'année

* Selon la durée du projet, il peut y avoir chevauchement sur plusieurs années.

6.4.5 Le pouvoir de signature

Le pouvoir de signature, c'est l'autorité conférée à un gestionnaire pour signer un acte qui est sous sa responsabilité et qui engage l'entreprise envers un tiers.

La délégation du pouvoir de signature est l'élément le plus stratégique pour assurer un bon contrôle interne. Le principe de base est de limiter ce pouvoir de dépenser aux gestionnaires de l'organisation. Par ailleurs, le pouvoir de recommandation peut être étendu plus largement.

Généralement, un acte qui engage l'entreprise envers un tiers requiert deux signatures. Autant que faire se peut, il est souhaitable que la première signature soit celle du gestionnaire responsable et la deuxième signature, celle de son autorité supérieure.

Par exemple, le gestionnaire désigné peut signer le bon de commande pour engager la dépense (premier niveau de signature) et le chèque servant à payer cette dépense sera signé par l'autorité concernée (deuxième niveau de signature).

Soyez vigilant. Outre le chèque ou le bon de commande, les actes à signer sont multiples dans le cours de réalisation d'un projet et engagent véritablement l'entreprise envers un tiers (voir tableau 6.13).

TABLEAU 6.13

UNE LISTE NON EXHAUSTIVE DES FORMES D'ENGAGEMENT

Un engagement sociétaire : incorporation, contrat intercompagnie, convention d'actionnaires.

Un engagement de propriété intellectuelle : marque de commerce, contrat d'édition, brevet d'invention, contrat de licence.

Un engagement commercial : contrat d'acquisition, contrat de vente, d'achat, de location, d'entretien, contrat de fournisseur, contrat de commandite, contrat de distribution, bail.

Un engagement d'employeur : contrat d'embauche, feuille de présence, lettre de fin d'emploi, compte de dépenses, carte de crédit de société.

Un engagement financier : compte de banque (ouverture, emprunt, placement, virement), chèque, lettre de garantie, acte de fiducie (hypothèque), bon de commande.

Même si le pouvoir de signature est strictement réservé aux cadres (gestionnaires) de l'organisation, il est prudent de fixer un seuil de dépenses autorisées à chacun pour éviter tout abus de pouvoir. Ces limites d'engagement seront établies selon leur niveau hiérarchique et la nature de leurs activités.

Conclure ce chapitre sur la gestion stratégique du budget sans parler de la répartition des dépenses entre les différentes directions serait incomplet. À ce sujet, beaucoup de variables en fonction de la nature du projet sont à considérer. Les dépenses de la programmation et celles de la technique sont des vases communicants et sont directement liées à l'activité elle-même. Les dépenses de logistique sont reliées au lieu de l'événement. Ainsi, un événement extérieur en plein champ coûte plus cher, car cela exige l'installation temporaire d'une infrastructure, déjà en place dans un théâtre. Par ailleurs, les autres dépenses (direction générale, administration, financement, communication, frais divers, contingences) sont à peu près fixes d'un événement à l'autre, et les pourcentages suggérés sont des normes acceptables.

TABLEAU 6.14

LE PARTAGE DES DÉPENSES D'UN ÉVÉNEMENT (SOUS TOUTE RÉSERVE)[1]

DIRECTION GÉNÉRALE ET FINANCEMENT[2]	4 %
ADMINISTRATION	8 %
PROGRAMMATION	35 %
LOGISTIQUE	25 %
COMMUNICATION	10 %
AUTRES :	
Recherche et développement	3 %
Divers	5 %
Contingences	10 %
TOTAL DES DÉPENSES	100 %

1 Le lecteur peut se référer au chapitre 4, section 4.2, pour approfondir le détail des responsabilités incluses dans cette projection de dépenses.

2 Les frais de commission, s'il y a lieu, sont en sus.

Cette présentation sommaire ne prétend pas être un guide complet sur la gestion financière d'un projet. Elle est plutôt le point de vue d'un organisateur qui désire mettre en place les outils de base pour assurer la saine gestion budgétaire du projet par un habile contrôle interne, laissant aux comptables le soin de compléter la démarche selon les pratiques en usage.

Conclusion

COMMENT ?

Agir avec son organisation
pour relever le même défi

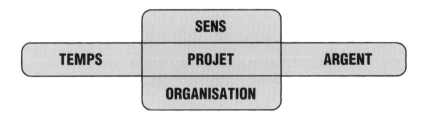

La table est mise. L'introduction ainsi que le premier chapitre ont présenté la gestion événementielle comme une façon différente de voir et de faire. Un bref retour historique a permis de mieux saisir le contexte des événements d'aujourd'hui. Il s'agit d'un style de gestion qui a ses propres règles et ses habitudes.

Les chapitres suivants ont fait le tour des dimensions que constitue l'environnement de la gestion d'un événement : pourquoi, quoi, qui, quand, combien, et, finalement, comment.

Les notions présentées proposent une approche stratégique et des outils pratiques pour gérer chacun de ces sous-ensembles. C'est un modèle de gestion événementielle qui vous a été exposé et qui fait appel à vos qualités de *leader* pour le mettre en place et de *maître* pour y arriver.

On ne peut pas aller plus loin sans l'adhésion des gestionnaires pour rendre crédible et vivant ce modèle de gestion. Ce fameux mariage entre créativité et gestion, s'il est possible, il faut le prouver maintenant. Sinon, le fossé se creusera tous les jours davantage entre les forces vives de l'organisation, et ce déséquilibre entraînera forcément une bureaucratie visant à sécuriser les patrons. La clé est de tenir compte de la capacité et du rythme de tous les gestionnaires (y compris les décideurs) qui devront faire vivre et évoluer ce modèle de gestion événementielle au quotidien. Ils sont les véritables agents de changement pour pousser plus loin les limites actuelles de votre événement. Sans leur participation active, vous n'y arriverez jamais.

Un modèle de gestion événementielle

◆ ◆

Réussir à canaliser toutes les énergies
vers le défi commun demeure l'équilibre à trouver.

◆ ◆ ◆ ◆ ◆ ◆ ◆ ◆

• Les questions fondamentales

Fournir des réponses claires à son organisation aux questions fondamentales qu'elle pose ouvertement ou en coulisse est le point de départ pour agir avec son organisation. Ces grandes questions se résument à bien peu de chose, mais elles sont vitales :

POURQUOI LE PROJET EXISTE ?

QUI DÉCIDE QUOI ET QUAND ?   C'EST QUOI LE PROJET ?   QUELLES SONT LES LIMITES ?

QUI EST RESPONSABLE DE QUOI ?

De telles questions fondamentales laissées sans réponses deviennent à coup sûr source de tensions et de crises à répétition dans l'organisation.

Bien sûr, les gestionnaires dans une organisation se posent bien d'autres questions. Par exemple, la fameuse question du salaire, « Ça me donne quoi ? » pourrait être ajoutée à la liste. Je ne l'ai pas fait, car dans notre monde événementiel les retombées personnelles sont souvent beaucoup plus grandes que le salaire perçu. Moi, comme vous, je veux en vivre et bien en vivre, mais je veux aussi me réaliser à travers les événements que j'organise. Travailler en équipe à édifier un projet peut être une source de plaisir intarissable et une occasion de dépassement inégalable. La question du salaire fait partie d'un ensemble beaucoup plus grand, qui s'appelle une organisation vivante et responsable.

• Les réponses stratégiques

Commencez par donner à vos gens les bonnes réponses à ces cinq questions de fond et vous verrez qu'un grand nombre d'autres questions vont s'estomper. Le modèle de gestion proposé vous entraîne inévitablement vers les réponses à ces questions que doit connaître tout gestionnaire pour agir de façon responsable :

POURQUOI LE PROJET EXISTE ? LE SENS DU PROJET (réf. : chapitre 2)		
QUI DÉCIDE QUOI ET QUAND ? L'ÉCHÉANCIER STRATÉGIQUE (réf. : chapitre 5)	C'EST QUOI LE PROJET ? LE CADRE DE RÉALISATION (réf. : chapitre 3)	QUELLES SONT LES LIMITES ? LA GESTION BUDGÉTAIRE (réf. : chapitre 6)
	QUI EST RESPONSABLE DE QUOI ? LA STRUCTURE ORGANISATIONNELLE (réf. : chapitre 4)	

• Les grands choix de gestion

Que ce soit pour orienter la mise en place d'un tout nouveau projet d'événement ou pour soutenir la croissance d'un projet d'envergure, que l'événement soit ponctuel ou récurrent, ce modèle de gestion peut s'adapter à tout projet d'événement.

Ce modèle repose sur trois grands choix de gestion qui auront des répercussions profondes sur l'ensemble du projet. Il est donc impératif que les gestionnaires qui l'utiliseront comprennent l'étendue de ces choix : un mode de gestion par projet, une organisation responsable et des outils de gestion intégrés par champ de responsabilités.

• Un mode de gestion par projet

La route à suivre pour réaliser un événement (secteur services) est-elle différente du chemin à parcourir pour réaliser un projet dans un autre secteur d'activité (secteur infrastructure) ? Existe-t-il une différence fondamentale entre le concepteur d'un événement et l'architecte d'un édifice ? Chacun n'est-il pas directeur artistique de son œuvre ?

On l'a dit, gérer un projet événementiel, c'est d'abord gérer la créativité. Mais la créativité n'est pas la chasse gardée du monde de l'événement. Il existe des méthodes et des formations reconnues en gestion de projet qui, une fois adaptées aux réalités événementielles, sont utiles pour apprendre à mieux gérer un événement.

Tout au long des chapitres précédents, ce livre a cherché à faire le pont entre la gestion de projet classique et la gestion événementielle, car elles sont indissociables.

• *Une organisation responsable*

Les organisateurs d'événements ont en réalité peu d'efforts à faire pour rendre vivante leur organisation. Une organisation est vivante de par la vitalité des membres qui la composent. Par surcroît, le milieu de l'événement attire depuis toujours des gens dynamiques et prêts à relever des défis. Toutefois, c'est une autre affaire que de rendre une organisation responsable, et c'est vous, dirigeant d'événements, qui en détenez la clé. Vous avez en main le pouvoir de déléguer, de mandater, de réellement responsabiliser ou de dominer abusivement, ce qui est trop souvent une tendance naturelle.

Ce livre a voulu encourager les dirigeants d'événements à mettre en place une structure favorable à une organisation responsable pour ainsi devenir leaders de leur organisation tout en restant maîtres de leur événement.

• *Des outils de gestion intégrés par champ de responsabilités*

Être responsable d'une activité signifie également gérer le temps et l'argent liés à cette responsabilité. La structure organisationnelle est la source d'alimentation commune pour la conception de ces outils de base (échéancier, budget).

Les outils de gestion doivent être accessibles (langage convivial) pour permettre aux gestionnaires d'agir efficacement dans les limites de leurs responsabilités. Ces outils de gestion intégrés devront être actualisés en fonction de l'évolution du projet. De là l'importance de réviser au moins une fois l'an la charte des responsabilités du projet. Si la base n'est pas totalement fiable, il est difficile de consolider le tout.

Une application multiprojets

Parler d'un mode gestion par projet quand on a un seul projet à gérer peut paraître bizarre. La gestion par projet commence à prendre tout son sens quand l'entreprise gère plusieurs projets simultanément. Si ce mode de gestion est bien établi au départ, alors il sera facile de répéter la recette. Le cercle s'agrandit, mais le cycle demeure le même pour chaque projet, petit ou gros.

Chaque fois que vous lancez un nouveau projet, la méthode consiste à reproduire le modèle de gestion événementielle par projet proposé pour ainsi établir un mode de gestion multiprojets.

L'espace de réalisation multiprojets

La multiplication des projets fera apparaître une nouvelle dimension qui est souvent confuse dans une organisation qui est dédiée à la gestion d'un seul projet. Cette dimension, c'est l'entreprise (ou les entreprises) qui chapeaute tous ces projets. Elle est en soi une entité qui a ses propres ambitions et son propre cycle, distincts de ceux des projets. Aborder ce sujet pourrait faire l'objet d'un autre livre. Disons simplement que l'entreprise aura son propre espace de réalisation dans lequel viendront se greffer les projets un à un. Une entreprise, c'est un grand projet qui se propose de durer longtemps.

L'espace de réalisation d'une entreprise événementielle

Une question d'équilibre

Visualiser ainsi l'ensemble de l'environnement de la gestion d'un événement est peut-être une première pour bon nombre d'organisateurs. Cela prendra un certain temps pour expérimenter ce modèle de gestion et comprendre en profondeur les grands choix de gestion sous-jacents.

En cours de route, attendez-vous à devoir clarifier de fausses attentes et des incompréhensions, et à arbitrer bien des tensions quant au partage du pouvoir que propose cette forme de gestion. Attendez-vous aussi à faire face à des résistances au sein même de l'équipe de direction lorsque vous voudrez mettre en place ce mode de gestion participative. La gestion d'un projet demeure souvent la chasse gardée des dirigeants qui craignent que la participation de leurs subalternes leur fasse perdre une partie de leur pouvoir. Beaucoup reste à faire pour que les dirigeants deviennent les véritables leviers de la gestion participative qu'ils sont censés être.

Souvent, quand les dirigeants parlent de gestion participative, les travailleurs écoutent, sourire en coin. Ces travailleurs ne comprennent pas comment ni quand ils pourraient réagir ou agir pour « participer ».

Le modèle proposé permet à chaque membre de l'organisation d'influer sur les décisions qui le concernent, condition *sine qua non* pour agir avec son organisation afin de relever le défi commun.

Ne soyez pas surpris si les premières notes sont aiguës. Donner le droit de parole à une organisation permet d'abord aux récalcitrants de s'exprimer. En général, les gestionnaires satisfaits dans une organisation sont plus nombreux que les réfractaires. Or, il est aberrant de constater que les messages d'insatisfaction claironnent toujours plus fort et proviennent souvent de ceux qui ont le plus besoin du soutien en gestion qu'ils rejettent. L'importance de ces non-adhérents demeure considérable et affaiblit la démarche d'instauration de toute innovation de gestion. Il faut à tout prix chercher à intégrer ces réactionnaires dans la démarche en prenant le temps de répondre à leurs objections. Cela exige une bonne dose de tolérance. Les rejeter ne fera que rendre la tâche plus difficile. Il s'agit d'un phénomène inévitable qui s'estompera avec le temps, à mesure que la gestion participative donnera de plus en plus la parole à tout le monde.

Le message est clair : il faut tenir compte du rythme de l'organisation et de sa capacité à s'adapter aux changements tout au long de la mise en place de ce modèle de gestion. En agissant de la sorte, vous canalisez les énergies vers le même défi.

Le modèle de gestion proposé est un guide de référence pour les organisateurs d'événements et, par extension, pour tout gestionnaire de projet, afin de les soutenir dans leur gestion quotidienne. Par son approche « responsabilisante », il vise à encourager l'effort et l'excellence et, chemin faisant, à favoriser l'émergence des leaders. Il cherche surtout à améliorer la qualité de vie professionnelle de chacun pour réaliser l'événement dans un climat organisationnel sain.

Trop souvent, hélas, les dirigeants se concentrent sur les résultats à atteindre sans trop se préoccuper du processus organisationnel pour y arriver. Ce modèle de gestion désire prouver que, s'ils agissent autrement, le résultat du projet n'en sera que plus grand. Parole d'organisateur !

◆ ◆

Réussir à trouver l'équilibre
pour canaliser les énergies vers le même défi,
c'est être leader de son organisation
et maître de son événement.

◆ ◆ ◆ ◆ ◆ ◆ ◆ ◆

L'AVENIR

L'événement après l'an 2000 : une nouvelle attitude

©QA Photos Ltd.

Le dôme de Greenwich, à Londres, accueille en l'an 2000
« The New Millennium Experience »

Comment conserver l'âme du projet et entretenir la passion et le plaisir de travailler dans un environnement sans cesse en transformation ? Nombre d'organisateurs sont inquiets, car ils ont l'impression que les exigences de plus en plus complexes de la gestion respectent de moins en moins la nature du projet et la culture de l'organisation. Pour eux, le lien n'est pas toujours évident entre tous ces éléments disparates. Ce sont là des craintes très justifiées.

En ce début du troisième millénaire, nous devons nous interroger sur l'avenir de l'événement chez nous au Québec et ailleurs dans le monde. L'événement populaire aura-t-il toujours la faveur du public ? La gestion de l'événement de demain sera-t-elle différente de celle d'aujourd'hui ?

Le sens

Le sens du projet à découvrir, c'est un peu comme le sens de la vie que beaucoup de gens recherchent. L'humanité se pose depuis toujours de grandes questions et qu'elle continuera de se poser longtemps. Cela ne changera pas pour le prochain millénaire, on continuera à s'interroger sur le sens de la vie et on devra continuer à se poser des questions sur le sens du projet que l'on désire réaliser. C'est fondamental.

Si le sens de l'événement (sa raison d'être) n'est pas clairement défini et partagé dès le départ, le projet demeurera plastique et logistique ; réussi même, mais sans âme ni élévation. Les événements d'aujourd'hui qui ont compris cela deviendront les porte-étendards de demain.

Le projet

L'originalité et la qualité demeureront les critères de succès pour tout événement. Mais il sera de plus en plus difficile et il en coûtera toujours plus cher pour y arriver, car le public sera de plus en plus exigeant et la compétition de plus en plus féroce. On n'aura pas le choix d'élargir son marché pour survivre. L'innovation est la clé du succès. Être à l'avant-garde dans son champ d'activité sera le défi à relever pour tout organisateur d'événement.

> *Depuis ses modestes débuts, le leitmotiv du Cirque du Soleil a toujours été d'investir dans la création et dans l'innovation. L'influence du succès mondial du Cirque du Soleil est énorme dans le monde du cirque. Beaucoup y ont vu une menace et ont tenté d'en freiner sa croissance. D'autres y ont vu une source d'inspiration dont ils ont su tirer profit. Certains ont tenté de le copier.*
>
> *Le Cirque du Soleil est devenu la plus grande entreprise de cirque du monde. Le magazine* Times *a déclaré que son spectacle* Saltimbanco *est « The greatest show on earth ». Pour conserver ce titre de noblesse, le Cirque du Soleil devra vivre une deuxième révolution. Après avoir brillamment réinventé « les arts du cirque », il devra se réinventer lui-même.*

L'organisation

Innover son produit, élargir son public, bref réinventer le monde ne se fait pas tout seul. Les métiers dérivés de l'événement se diversifieront et se spécialiseront encore davantage. Ils deviendront de véritables professions reconnues. Par voie de conséquence, la gestion de l'organisation d'un événement sera de plus en plus complexe. Il est grand temps d'offrir aux gestionnaires des événements d'aujourd'hui les moyens de répondre aux nouvelles règles du jeu et aux exigences de la croissance de demain.

On aura toujours besoin de spécialistes événementiels, mais ils devront de plus en plus étendre leur expertise en gestion pour réaliser leurs œuvres et se réaliser.

Le temps

Une journée aura toujours 24 heures même après l'an 2000. Dommage ! Par contre, la vitesse de réalisation de l'événement va s'accélérer. On devra faire mieux en moins de temps pour rentabiliser l'activité. Devenir maître de la gestion de son temps est et demeurera un véritable défi.

Une organisation qui aura appris à gérer stratégiquement le temps de son projet est une organisation gagnante qui pourra traverser les époques plus facilement.

L'argent

La commercialisation est indiscutablement l'avenir du financement des événements. L'État mécène est disparu, et la commandite atteint déjà son point de saturation dans les grands centres urbains. La période du « bingo » pour financer son événement est bel et bien révolue.

Créateurs, communicateurs, organisateurs et distributeurs devront se mettre à l'ouvrage pour réinventer les façons de commercialiser l'événement. Finies les exigences souvent harassantes des gouvernements ou des commanditaires ! Seul le public pourra dicter ses choix (l'offre et la demande) et ses conditions (le rapport qualité-prix) pour orienter l'évolution de l'événement. L'événement pourra ainsi acquérir une véritable autonomie de fonctionnement pour une première fois dans son histoire.

Il s'agit d'un changement de mœurs important. Un véritable choc culturel pour bon nombre de nos événements d'aujourd'hui.

Le Cirque du Soleil va vivre, dans les années à venir, une profonde transformation pour réaliser son plan de développement récemment adopté. Cette nouvelle stratégie d' affaires positionne le merchandising et le multimédia au même rang que le « spectacle vivant », qui était jusqu'à ce jour le moteur de toute l'entreprise. La locomotive sera dorénavant l'exploitation commerciale de ses marques de commerce (image) dont la base sera le marché mondial. Le Cirque réussira-t-il, là aussi, à réinventer la façon de commercialiser ses œuvres et ses dérivés? Histoire à suivre!

Il faut sortir du cul-de-sac dans lequel on s'est engagé, c'est une question de survie et de croissance. Que nos décideurs fassent le pas et comprennent que nos structures d'événement à but non lucratif, encore largement répandues, sont périmées et empêchent un développement intégré des événements, comme cela est possible dans d'autres secteurs d'activités économiques (trust). On nous demande d'organiser la fête comme une entreprise privée, mais on nous impose encore trop souvent une structure qui s'inspire largement du public. Il est temps de réinventer la structure corporative de nos événements pour faire face aux nouvelles lois du marché et pour soutenir le rôle socioculturel qu'ils jouent (avantages fiscaux). Cette évolution ne peut se faire sans un changement d'attitude de la part des décideurs politiques et autres.

C'est devenu «politiquement correct» pour chaque communauté d'avoir sa fête, son festival, son événement. Aujourd'hui, l'expertise existe, mais le financement a disparu. Tout le monde en veut, mais personne ne veut payer. C'est vrai partout, même en Asie.

Cette transformation en profondeur ne fera pas disparaître la magie de la fête. Bien au contraire, l'événement va demeurer un lieu de rassemblement et de divertissement. Il va se répandre de plus en plus sur la planète comme une activité économique rentable financièrement et profitable socialement.

« *Singapour fait beaucoup de tapage publicitaire pour se faire reconnaître, entre autres, comme The Asian Capital of Arts. Hong Kong, sa grande rivale, se présente comme The Asian Capital of Major Events. La nuance entre ces voisins n'est pas marquée. Les deux souhaitaient vivement accueillir le Cirque du Soleil comme « leur » événement de l'an 2000. Finalement, le Cirque a choisi de célébrer l'arrivée du troisième millénaire à la maison, à Singapour, lieu de son siège régional Asie-Pacifique, et l'arrivée de l'année du Dragon (Chinese New Year) chez le voisin, à Hong Kong.* »

Nous avons atteint au Québec et en Amérique un degré de connaissance poussé de l'événement. Saurons-nous conserver ce leadership et mettre cette expertise au profit de nouveaux défis et dans de nouveaux territoires ? Saurons-nous rentabiliser ce que nous avons payé cher pour apprendre ? La mondialisation, jadis un beau concept théorique, est devenue aujourd'hui une réalité bien pressante.

Prendre le pas de l'an 2000

Une civilisation naît, arrive à maturité et meurt !
Arnold Toyn Bee

Quand on regarde en arrière, on constate que cet énoncé peut être facilement transposé au monde de l'événement. Nombre de fêtes, de festivals et d'événements célèbres ont malheureusement disparu, comme les Médiévales de Québec. Par contre, d'autres ont réussi à traverser les époques avec succès, comme le Festival d'été de Québec. Pourquoi ?

LES ÉVÉNEMENTS D'AVENIR :

- sauront se renouveler constamment tout en conservant leur nature propre ;
- sauront élargir leur public par la régionalisation et la mondialisation ;
- sauront transformer leur structure pour pouvoir gérer comme une entreprise privée ;
- sauront exploiter commercialement leur marque de commerce sous toutes ses formes ;
- sauront faire le tout sans vendre leur âme et tout en conservant la magie de la fête !

Organisateur, devenez entrepreneur

L'événement est un excellent incubateur d'entrepreneurs. C'est là une belle occasion pour les organisateurs d'événements de se découvrir peut-être un « dynamisme entrepreneurial » insoupçonné.

Organisateurs, devenez entrepreneurs : c'est ce que les gouvernements exigent et ce que la société attend de vous.

À une époque, je siégeais au conseil d'administration du Biodôme de Montréal, qui comprenait des gens reconnus du monde des affaires public et privé. Au cours d'une assemblée, le président posa la question : « Comme vous le savez tous, notre mandat premier est d'augmenter l'autofinancement du Biodôme. Avez-vous des suggestions ? » Ma réponse a été spontanée : « Cessez de me verser le jeton de présence de 200 $ par réunion. J'aimerais plutôt investir et devenir actionnaire ! Quelle est la valeur des actions aujourd'hui ? » C'était évidemment une blague, car nos grandes institutions publiques sont et demeureront du domaine public, quoique dans ce secteur aussi la privatisation est bien amorcée. Le message était

219

clair : « Sommes-nous prêts, chers collègues, à gérer cette
boîte comme vous gérez vos entreprises ?»

L'avenir de l'événement doit passer par son entrepreneuriat pour ainsi acquérir une plus grande liberté d'action. Ce n'est pas une question de choix, c'est une question de survie et de croissance.

Les organisateurs des événements d'hier et d'aujourd'hui sont les précurseurs d'un nouveau métier. Et comme pour tout pionnier, notre pratique repose sur la tradition orale et notre expertise s'est faite sur le tas. C'est donc une lourde responsabilité qui nous incombe de « perpétuer la race » afin que les organisateurs et les organisatrices de demain ne partent pas d'où l'on vient, mais d'où l'on est maintenant, pour qu'ils puissent à leur tour faire évoluer le métier vers de nouveaux sommets.

Souhaitons qu'un jour nos efforts soient récompensés et que l'on voie naître l'Ordre des organisateurs et des organisatrices d'événements du Québec !

Un projet se déroule dans le temps, une organisation
vit dans l'espace.

La rencontre d'un projet et d'une organisation génère une énergie.

Réussir à faire évoluer cette force pour relever un défi commun, c'est
être leader de son organisation et maître de son projet.

Jacques Renaud, 1990

BIBLIOGRAPHIE

Blanchard, K. et V. Peale Norman. *Management et puissance de l'intégrité*, Ottawa, La Presse, 1988.

Boudreault, J. *Le Cirque du Soleil : la création d'un spectacle SALTIMBANCO*, Québec, Nuit Blanche, 1996.

Charest, G. *La gestion par consentement : une nouvelle façon de partager le pouvoir*, Montréal et Charlesbourg, Transcontinental et Fondation de l'entrepreneurship, 1996.

Cochran, J. E. *Entrepreneurial activity and synergistic partnership in performing arts organizations*, Michigan, Ann Arbor, UMI Dissertation Information Service, 1990.

Colbert, F. *Le marketing des arts et de la culture*, Québec, Gaëtan Morin, 1993.

Courville, L. *Piloter dans la tempête : comment faire face aux défis de la nouvelle économie*, Québec-Amérique, 1994.

Fisher, V. et R. Brouillet. *Les commandites : la pub de demain*, Montréal, Saint-Martin, 1990.

Fisher, V. *Le sponsoring international*, Québec, Boréal, 1994.

Flower, J. *Disney : le manager du rêve*, Boulogne, Maxima, 1992.

221

Frame, J. D. *The New Project Management : Tools for an Age of Rapid Change*, Jossey Bass, 1994.

Jamieson, P. *Fundamental Focus : A new perspective on the basics of events and events organizations*, Washington, International Festivals & Events Association, 1996.

Kerzner, H. *Project Management : a system approach to planning, scheduling, and controlling*, (fifth edition), Van Nostrand Reinhold, , 1995.

Lapierre, L. *L'art de gérer les arts, la gestion : un art? Gère-t-on les arts?*, Montréal, École des Hautes Études commerciales, Groupe de recherche et de formation en gestion des arts, 1990.

Martel, L. *La Corporation sans but lucratif au Québec*, Québec, Wilson & Lafleur, 1994.

Meredith, J. R. et S. J. Mantel. *Project Management : a managerial approach*, (third edition), John Wiley, 1995.

Mintzberg, H. *Structure et dynamique des organisations*, Paris, Les Éditions d'organisation, 1982.

Mintzberg, H. *Grandeur et décadence de la planification stratégique*, Paris, Dunod, 1994.

Naisbitt, J. *Megatrends Asia : The eight Asian megatrends that are changing the world*, London, Nicolas Brealey, 1997.

Peters, Th. et R. Waterman. *Le prix de l'excellence : les secrets des meilleures entreprises*, Paris, InterEditons, 1983.

Pitcher, P. *Artistes, artisans et technocrates dans nos organisations : rêves, réalités et illusion du leadership*, Québec, Québec-Amérique, 1994.

Plasse, M. et C. Simard. *Gérer au féminin*, Ottawa, Agence d'ARC, 1989.

Popcorn, F. *The Popcorn Report*, New York, Harper Business, 1992.

Project Management Institute (PMI). *Management de projet, un référentiel de connaissances*, France, AFNOR, 1998.

Quinn James, B. *L'entreprise intelligente*, Paris, Dunod, 1994.

Randon, M. *Japon, la stratégie de l'invisible*, Paris, Félin, 1985.

Tournier, S. *Microsoft PROJECT 98*, France, Simon & Schuster Macmillan, 1997.

Faites-nous part
de vos commentaires

Assurer la qualité de nos publications
est notre préoccupation numéro un.

N'hésitez pas à nous faire part de
vos commentaires et suggestions
ou à nous signaler toute erreur
ou omission en nous écrivant à :

livre@transcontinental.ca

Les éditeurs

Imprimé au Canada par
Transcontinental Métrolitho